Os Direitos do Homem

Dados Internacionais de Catalogação na Publicação (CIP)
(Câmara Brasileira do Livro, SP, Brasil)

Paine, Thomas, 1737-1809
Os Direitos do Homem : uma resposta ao ataque do Sr. Burke à Revolução Francesa / Thomas Paine ; tradução de Jaime Clasen. – Petrópolis, RJ : Vozes, 2019. – (Vozes de Bolso)

Título original : Rights of man : Being an answer to Mr. Burke's attack on the French Revolution
ISBN 978-85-326-6037-4

1. Burke, Edmund, 1729-1797. Reflexões sobre a Revolução na França 2. França – História – Revolução, 1789-1799 – Causas 3. Grã-Bretanha – Política e governo – 1760-1820 I. Título. II. Série.

18-23161 CDD-944.04

Índices para catálogo sistemático:
1. Revolução Francesa : História 944.04

Cibele Maria Dias – Bibliotecária – CRB-8/9427

Thomas Paine

Os Direitos do Homem

Uma resposta ao ataque do Sr. Burke à Revolução Francesa

Tradução de Jaime A. Clasen

Vozes de Bolso

Título original em inglês: *Rights of Man – Being an Answer to Mr. Burke's Attack on the French Revolution*

Rua Frei Luís, 100
25689-900 Petrópolis, RJ
www.vozes.com.br
Brasil

Diagramação: Sheilandre Desenv. Gráfico
Revisão gráfica: Silvana Moraes
Capa: Ygor Moretti
Ilustração de capa: © Everett Historical | Shutterstock

ISBN 978-85-326-6037-4

Editado conforme o novo acordo ortográfico.

Este livro foi composto e impresso pela Editora Vozes Ltda.

Sumário

PARTE I

Os Direitos do Homem

Carta a George Washington

A George Washington

Presidente dos Estados Unidos da América.

Senhor,

Apresento-vos um pequeno tratado em defesa daqueles princípios de liberdade que vossa virtude exemplar tão eminentemente contribuiu para estabelecer. Que os direitos do homem tornem-se tão universais como vossa benevolência possa desejar, e que tenhais a felicidade de ver o Novo Mundo regenerar o Antigo.

Esta é a prece de vosso muito agradecido, obediente e humilde servo, Sir Thomas Paine.

Prefácios

Prefácio à edição francesa

A admiração que a Revolução Francesa causou por toda a Europa deveria ser considerada a partir de dois pontos de vista diferentes: primeiro, na medida em que afeta povos estrangeiros; segundo, na medida em que afeta seus governos.

A causa do povo francês é a de toda a Europa, ou melhor, de todo o mundo; mas os governos de todos estes países de modo algum são favoráveis a ela. É importante que nunca percamos de vista esta distinção. Não devemos confundir os povos com os seus governos, especialmente não confundir o povo inglês com seu governo.

O governo da Inglaterra não é amigo da revolução da França. Disso temos provas suficientes nos agradecimentos feitos pela fraca e néscia pessoa do Eleitor de Hanover, às vezes chamado de Rei da Inglaterra, ao Sr. Burke pelo monte de insultos em seu livro, e nos comentários maldosos do Ministro inglês, Sr. Pitt, em seus discursos no Parlamento.

Apesar dos protestos de mais sincera amizade encontrados na correspondência oficial do governo inglês com o de França, sua conduta desmente todas as suas declarações e nos mostra claramente que não é uma corte a ser confiada, mas uma corte insana, mergulhando em todas as desavenças e intrigas da Europa em busca de uma guerra para satisfazer sua loucura e favorecer sua extravagância.

A nação inglesa, pelo contrário, está mui favoravelmente inclinada à Revolução Francesa e ao progresso da liberdade em todo o mundo; e este sentimento se tornará mais geral na Inglaterra na medida em que as intrigas e os artifícios de seu governo forem melhor conhecidos e os princípios da revolução melhor entendidos. Os franceses deveriam saber que os jornais ingleses, em sua maioria, estão diretamente a soldo do governo ou, se indiretamente ligados a ele, sempre sob suas ordens, e que estes jornais constantemente deturpam e atacam a revolução na França a fim de iludir a nação. Mas, como é impossível continuar evitando a difusão da verdade, as falsidades diárias daqueles jornais não têm mais o efeito desejado.

Para ficar convencido de que a voz da verdade foi sufocada na Inglaterra, o mundo precisa apenas ser informado de que o governo vê e processa como calúnia aquilo que deveria proteger[1]. Este ultraje à moralidade é chamado *lei*, e encontram-se juízes suficientemente perversos para punir a verdade.

O governo inglês apresenta justamente agora um fenômeno curioso. Vendo que as nações francesa e inglesa estão se livrando dos preconceitos e falsas noções que antigamente mantinham entre si, e que lhes custaram tanto dinheiro, aquele governo parece proclamar sua necessidade de um inimigo; pois, se não encontrar um em algum lugar, não existirá pretexto para os enormes rendimentos e impostos agora julgados necessários.

Por isso ele procura na Rússia o inimigo que perdeu na França, e parece dizer a todo o universo, ou para si mesmo: "Se ninguém tiver a bondade de

---

1 A máxima principal dos juízes é: quanto maior a verdade, maior a calúnia.

se tornar meu inimigo, não necessitarei mais de armadas ou exércitos e serei obrigado a reduzir meus impostos. A guerra americana tornou impossível que eu dobrasse os impostos; a questão holandesa, que aumentasse mais; a fraude de Nootka deu-me um pretexto para levantar mais três milhões de esterlinas; mas se eu não puder fazer da Rússia um inimigo, a colheita de guerras terminará. Eu fui o primeiro a incitar a Turquia contra a Rússia, e agora espero uma nova colheita de impostos".

Se as misérias da guerra e a inundação de males que ela espalha sobre o país não refreassem toda tendência para a alegria e transformassem o riso em pesar, o comportamento frenético do governo da Inglaterra provocaria apenas zombaria. Mas é impossível afastar da mente as imagens de sofrimento que a contemplação que tal política viciosa apresenta. Arrazoar com governos, como eles têm existindo através dos tempos, é argumentar com selvagens. As reformas só podem ser esperadas das próprias nações. Não deveria existir nenhuma dúvida de que os povos da França, Inglaterra e América, esclarecidos e esclarecendo um ao outro, daqui para a frente serão capazes, não apenas de dar ao mundo um exemplo de bom governo, mas pela sua influência unida fazer também respeitar sua prática.

Prefácio à edição inglesa

Levando em conta a participação do Sr. Burke na Revolução Americana, era natural que eu o considerasse um amigo da humanidade; e, como nosso relacionamento começou a partir disso, teria sido muito mais agradável para mim ter tido motivo para continuar com minha opinião em vez de mudá-la.

Quando o Sr. Burke fez o seu violento discurso no último inverno no Parlamento inglês contra a Revolução Francesa e a Assembleia Nacional, eu estava em Paris, e tinha escrito a ele um pouco antes para informá-lo de que as coisas estavam correndo prosperamente. Logo depois disso vi o anúncio do panfleto que ele pretendia publicar. Como o ataque seria feito numa língua pouco estudada e menos ainda compreendida na França e a tradução sempre prejudica a ideia original, prometi a alguns amigos da Revolução naquele país que, quando o panfleto do Sr. Burke fosse publicado, eu responderia a ele. Foi o que me pareceu mais necessário fazer, quando vi as flagrantes deturpações que o panfleto do Sr. Burke continha: além de ser um ultraje à Revolução Francesa e aos princípios da Liberdade, era uma imposição ao resto do mundo.

Fiquei mais admirado e desapontado com este comportamento do Sr. Burke, pois (pelas circunstâncias que mencionarei) eu tinha outras expectativas.

Eu tinha visto o bastante das misérias da guerra para desejar que ela nunca mais acontecesse no mundo e que fosse descoberto outro modo de resolver as diferenças que ocasionalmente surgissem entre nações vizinhas. Isto certamente poderia ser feito se as cortes estivessem dispostas a se dedicarem honestamente a isso, ou se os países fossem suficientemente esclarecidos para não se fazerem de bobos da corte. O povo da América fora criado nos mesmos preconceitos contra a França que naquele tempo caracterizavam o povo da Inglaterra. Mas a experiência e o relacionamento com a nação francesa mostrou muito eficazmente aos americanos a falsidade destes preconceitos. Não creio que haja um convívio mais cordial e confiante entre quaisquer duas nações do que entre América e França.

Quando cheguei à França, na primavera de 1787, o Arcebispo de Toulouse era Ministro e era muito estimado naquele tempo. Fiquei muito amigo do secretário particular daquele ministro, homem de grande coração e benevolência. Os sentimentos dele e os meus combinavam perfeitamente a respeito da loucura da guerra e da descortesia e baixeza de duas nações, como Inglaterra e França, continuamente atormentando uma a outra com nenhuma outra finalidade senão o aumento mútuo de ônus e impostos. Para me certificar de que eu não o entendera mal, nem ele a mim, pus por escrito o essencial de nossas opiniões e enviei a ele, acrescentando uma pergunta: se eu visse no povo da Inglaterra alguma disposição em cultivar entre as duas nações um entendimento melhor do que o que prevalecera até então, até que ponto eu estaria autorizado a dizer que a mesma disposição prevalecia por parte da França? Ele me respondeu por carta da maneira mais franca, dizendo que era a expressão do que pensava não apenas ele, mas também o ministro, que tinha conhecimento do conteúdo da carta.

Eu pus esta carta nas mãos do Sr. Burke há quase três anos e a deixei com ele, onde ela ainda permanece, esperando, e ao mesmo tempo naturalmente aguardando, a partir da opinião que eu formara dele, que ele encontraria uma oportunidade para fazer bom uso dela a fim de remover aqueles erros e preconceitos que as duas nações vizinhas, por falta de conhecimento mútuo, mantinham para prejuízo de ambas.

Ao estourar a Revolução Francesa, ela certamente proporcionou ao Sr. Burke uma oportunidade para fazer algum bem, se ele estivesse disposto a fazê-lo. Em vez disso, mal ele viu desaparecerem os velhos preconceitos, imediatamente começou a semear as sementes de uma nova obstinação, como se temesse que Inglaterra e França deixassem de ser inimigos. Que haja homens em todos os países que vivem da guerra e de manter as desavenças entre as nações, é tão chocante como verdadeiro. Mas quando aqueles homens que estão ligados ao governo de um país se empenham em semear discórdia e cultivar preconceitos entre nações, isto se torna mais imperdoável.

Com respeito a um parágrafo nesta obra aludindo ao fato de o Sr. Burke ter uma pensão, esta notícia esteve em circulação durante algum tempo, pelo menos durante dois meses; e como geralmente a pessoa é a última a ouvir o que lhe diz respeito e mais lhe convém saber, lembrei que cabe ao Sr. Burke uma oportunidade para rebater o boato, se assim achar conveniente.

Os Direitos do Homem

Entre as incivilidades com as quais nações ou indivíduos se provocam e irritam um ao outro, o panfleto do Sr. Burke sobre a Revolução Francesa é um raro exemplo. Nem o povo da França, nem a Assembleia Nacional estavam preocupados com os assuntos da Inglaterra ou com o Parlamento inglês. Por que então o Sr. Burke começa um ataque não provocado contra eles, tanto no Parlamento como em público, é uma conduta que a boa educação reprova e a diplomacia condena.

É difícil encontrar na língua inglesa um epíteto ofensivo que o Sr. Burke não tenha usado contra a nação francesa e a Assembleia Nacional. Tudo o que rancor, preconceito, ignorância ou conhecimento pode sugerir é lançado numa fúria copiosa de quase quatrocentas páginas. Com o ritmo e no plano com que o Sr. Burke estava escrevendo, ele poderia ter escrito muitos milhares. Quando a língua ou a pena são deixadas soltas num frenesi de paixão, é o homem, não o assunto, que se esgota.

Até agora o Sr. Burke tem se enganado e desapontado nas opiniões que formou sobre os assuntos de França; mas tal é a ingenuidade de sua esperança, ou a malícia de seu desespero, que ela dá a ele novos pretextos para prosseguir. Houve tempo em que era impossível fazer o Sr. Burke acreditar que haveria uma Revolução na França. A opinião dele então era que os franceses não tinham espírito para empreendê-la, nem fortaleza para mantê-la; mas, agora que têm, ele procura uma evasiva, condenando-a.

Não suficientemente contente em ofender a Assembleia Nacional, grande parte de sua obra é dedicada a ofender o Dr. Price (hoje, um dos homens mais generosos) e as duas sociedades na Inglaterra conhecidas sob o nome de *Revolution Society* e a *Society for Constitutional Information.*

Dr. Price pregou um sermão no dia 4 de novembro de 1789, por ocasião do aniversário do que na Inglaterra se chama Revolução, que ocorreu em 1688. O Sr. Burke, falando deste sermão, diz: "O teólogo político procede dogmaticamente ao afirmar que pelos princípios da Revolução o povo da Inglaterra adquiriu três direitos fundamentais:

1. o de escolher seus próprios governadores;
2. o de destituí-los por má conduta;
3. o de constituir um governo por nós mesmos".

Dr. Price não diz que o direito a estas coisas existe nesta ou naquela pessoa, nesta ou naquela classe de pessoas, mas que existe no *todo*, que é um direito inerente à nação. O Sr. Burke, pelo contrário, nega que tal direito exista na nação, seja no todo ou em parte, ou que ele exista em qualquer lugar; e, o que é ainda mais estranho e maravilhoso, ele diz "que o povo da Inglaterra repudia completamente tal direito e que eles se oporão à reivindicação prática dele com suas vidas e fortunas". Que homens pegariam em armas e gastariam suas vidas e fortunas *não* para manter seus direitos mas para sustentar que eles *não* têm direitos é uma espécie completamente nova de descoberta e adaptada ao gênio paradoxal do Sr. Burke.

O método que o Sr. Burke usa para provar que o povo da Inglaterra não tem tais direitos e que tais direitos não existem agora na nação, tanto no todo como em parte, ou em nenhum outro lugar, é do mesmo tipo maravilhoso e monstruoso que ele já usou para dizer. Pois seu argumento é que as pessoas, ou gerações de pessoas, nas quais eles existem, estão mortas, e com elas os direitos também estão mortos. Para provar isso, ele cita uma declaração feita pelo Parlamento há cerca de cem anos passados a William e Mary nestas palavras: "Os lordes espirituais e temporais e os comuns, em nome do povo supracitado (significando o povo da Inglaterra de então), *submetem-se* mui humilde e fielmente, seus *herdeiros* e *posteridade*, para sempre". Ele também cita uma cláusula de outra lei do Parlamento feita no mesmo reinado cujos termos, diz ele, "nos ligam (isto é, o povo de então), nossos *herdeiros* e nossa *posteridade*, a *eles*, a seus *herdeiros* e *posteridade* deles, até o fim dos tempos".

O Sr. Burke imagina sua questão suficientemente estabelecida pela apresentação destas cláusulas, as quais ele fortifica dizendo que elas excluem o direito da Nação para *sempre*. Ainda não contente em fazer tais declarações, muitas vezes repetidas, ele diz mais adiante "que se o povo da Inglaterra possuía um tal direito antes da Revolução (o que ele reconhece ter sido o caso, não apenas na Inglaterra mas em toda a Europa num período primitivo), porém a *Nação Inglesa*, no tempo da Revolução, solenemente renunciou e abdicou dele, para eles e para *toda a sua posteridade para sempre*".

Como o Sr. Burke ocasionalmente aplica o veneno tirado de seus horríveis princípios (se não for profanação chamá-los pelo nome de princípios) não apenas à Nação Inglesa mas também à Revolução Francesa e à Assembleia Nacional, e acusa aquele augusto grupo de homens esclarecidos e esclarecedores com o epíteto de *usurpadores*, eu, *sans cérémonie*, apresentarei outro sistema de princípios em oposição ao dele.

O Parlamento inglês de 1688 fez uma coisa que, para eles e seus constituintes, tinha o direito de fazer e que parecia ser certo ser feito. Mas, além desse direito, que eles possuíam por delegação, *estabeleceram outro direito por apropriação*, o de obrigar e controlar a posteridade até o fim dos tempos. O caso, portanto, divide-se em duas partes: o direito que eles possuíam por delegação e o direito que eles estabeleceram por apropriação. O primeiro é evidente; mas, em relação ao segundo, eu respondo:

Nunca existiu, nunca existirá e nunca poderá existir um Parlamento, ou uma classe de homens, ou uma geração de homens, em qualquer país, com a posse do direito ou o poder de obrigar e controlar a posteridade até "*o fim dos tempos*" ou de impor para sempre como o mundo será governado, ou quem o governará, e por isso todas estas cláusulas, atos ou declarações com os quais seus elaboradores tentam fazer o que eles não têm o direito nem o poder de fazer, nem o poder de executar, são nulas em si. Toda idade e geração deve ser tão livre para agir por si mesma *em todos os casos* como as idades e gerações que a precederam. A vaidade e a presunção de governar além da sepultura é a mais ridícula e insolente de todas as tiranias. O homem não tem nenhuma propriedade sobre o homem; nem nenhuma geração tem propriedade sobre gerações que a seguirão. O Parlamento ou o povo de 1688, ou de qualquer outro período, não tinha mais direito de dispor do povo de hoje, ou de obrigá-lo e controlá-lo *de qualquer forma que fosse*, do que o Parlamento ou o povo do dia de hoje tem de dispor de, obrigar ou controlar aqueles que hão de viver daqui a cem ou mil anos. Cada geração é, e deve ser, competente em todos os seus propósitos que as circunstâncias exigirem. São os vivos, e não os mortos, que devem ser obrigados. Quando o homem deixa de existir, terminam com ele seu poder e suas necessidades; e não tendo mais nenhuma participação nos negócios deste mundo, ele não tem mais nenhuma autoridade para indicar quem serão seus governantes, ou como seu governo deverá ser organizado ou administrado.

Não sou a favor nem contra qualquer forma de governo, nem a favor nem contra qualquer partido, aqui ou em qualquer outro lugar. O que toda uma nação escolhe para fazer, ela tem o direito de fazer. O Sr. Burke diz: Não. Então, onde existe o direito? Estou lutando pelo direito dos *vivos* e contra o fato de serem alienados, controlados e constrangidos pela pretensa autoridade dos mortos que ficou por escrito. O Sr. Burke defende a autoridade dos mortos sobre os direitos e a liberdade dos vivos. Houve tempo em que os reis dispunham de suas Coroas à vontade em seus leitos de morte e entregavam as pessoas, como animais do campo, a qualquer sucessor que eles indicassem. Isto agora é tão condenável que mal pode ser lembrado, e é tão monstruoso que é difícil acreditar; mas as cláusulas parlamentares sobre as quais o Sr. Burke constrói a sua igreja política são da mesma natureza.

As leis de qualquer país devem ser análogas a algum princípio comum. Na Inglaterra nenhum pai ou senhor, nem toda a autoridade do Parlamento, onipotente como ele se diz, pode cercear ou controlar a liberdade pessoal nem mesmo de um indivíduo com mais de trinta e um anos. Com que fundamento de direito, então, podia o Parlamento de 1688, ou qualquer outro Parlamento, obrigar toda a posteridade para sempre?

Aqueles que deixaram o mundo e os que ainda não chegaram a ele estão distantes entre si mais do que qualquer esforço da imaginação mortal pode conceber. Que obrigação possível, portanto, pode existir entre eles? Que regra ou princípio pode ser estabelecido que de duas não entidades, uma fora da existência e outra ainda por existir, e que nunca poderão se encontrar neste mundo, uma possa controlar a outra até o fim dos tempos?

Na Inglaterra se diz que não se pode tirar dinheiro do bolso das pessoas sem o seu consentimento. Mas quem autorizou ou podia autorizar o Parlamento de 1688 a controlar e tirar a liberdade da posteridade (que não existiam para dar ou retirar seu consentimento), e limitar e confinar seu direito de agir em certos casos para sempre?

Maior absurdo não se pode apresentar ao entendimento do homem do que o que o Sr. Burke oferece a seus leitores. Ele lhes diz, e diz para o mundo futuro, que um certo grupo de homens que existiu cem anos atrás fez uma lei e que agora não existe na nação, nunca existirá nem poderá existir, um poder para alterá-la. Sob quantas sutilezas ou absurdos o divino direito de governar foi imposto à credulidade da humanidade! O Sr. Burke descobriu um novo e ele abreviou a viagem dele a Roma a fim de apelar para o Parlamento infalível de outrora; e ele apresenta o que ele fez como de autoridade divina pois este poder deve certamente ser mais do que humano porque nenhum poder humano pode alterá-lo até o fim dos tempos.

Mas o Sr. Burke prestou um serviço não à causa dele mas ao país, trazendo ao público aquelas cláusulas. Elas servem para demonstrar o quanto é necessário, em todos os tempos, estar atento à tentativa de usurpação do poder e para evitar que se exceda. É algo extraordinário que o delito pelo qual Jaime II foi expulso, o de estabelecer um poder por *apropriação*, possa ser retomado, sob outra figura e forma, pelo Parlamento que o expulsou. Isso mostra que os direitos do homem ainda eram imperfeitamente entendidos no tempo da Revolução; pois certamente o direito que o Parlamento impôs por *apropriação* (pois por delegação ele não o tinha e nem podia ter porque ninguém o daria) sobre as pessoas e a liberdade da posteridade para sempre era da mesma espécie tirânica infundada que Jaime tentou impor ao Parlamento e à nação e ocasionou sua expulsão. A única diferença é (pois em princípio eles não diferiam) que um era usurpador dos vivos e o outro dos não nascidos; e como um não tem mais autoridade em se impor do que o outro, ambos devem ser igualmente nulos e sem efeito.

Com que fundamento o Sr. Burke prova o direito de qualquer poder humano obrigar a posteridade para sempre? Ele apresentou suas cláusulas, mas ele deve apresentar também suas provas de que tal direito existia e mostrar como existiu. Se ele existiu, deve existir agora, pois tudo o que pertence à natureza humana não pode ser aniquilado pelo homem. Morrer pertence à natureza do homem e ele continuará morrendo enquanto continuar a nascer. Mas o Sr. Burke erigiu uma espécie de Adão político, ao qual toda a posteridade está ligada para sempre; ele deve, portanto, provar que seu Adão possuía tal poder, ou tal direito.

Quanto mais fraca for uma corda, menos ela resiste ao ser esticada, e pior é a política de esticá-la, a não ser que se queira rebentá-la. Se alguém propusesse a derrota das posições do Sr. Burke, deveria proceder como ele fez. Ele teria engrandecido as autoridades a fim de pôr em questão o *direito* delas; e assim que surgisse a questão sobre o direito, as autoridades deveriam ter desistido.

Basta um mínimo de perspicácia para se perceber que, embora leis feitas numa geração muitas vezes continuem em vigor nas gerações seguintes, elas continuam a tirar sua força do consentimento dos vivos. Uma lei não revogada continua em vigor não porque ela *não possa* ser revogada, mas porque ela *não foi* revogada; e a não revogação passa pelo consentimento.

Mas as cláusulas do Sr. Burke não têm sequer este requisito em seu favor. Elas se tornam nulas por tentarem se tornar imortais. A natureza delas exclui o consentimento. Elas destroem o direito que *poderiam* ter por se fundamentarem num direito que *não podem* ter. Poder imortal não é um direito humano e, portanto, não pode ser um direito do Parlamento. O Parlamento de 1688 poderia ter aprovado uma lei que autorizasse seus integrantes a viver para sempre, e assim fazer sua autoridade durar para sempre. Portanto, tudo o que se pode dizer destas cláusulas é que elas não passam de formalidades verbais, com a mesma importância que teriam palavras de congratulações dirigidas a si próprio, e no estilo oriental da antiguidade palavras como: ó Parlamento, viva para sempre!

As circunstâncias do mundo estão continuamente mudando e as opiniões dos homens também mudam. Como o governo é para os vivos, e não para os mortos, apenas os vivos têm algum direito sobre ele. O que pode ser pensado certo e achado conveniente numa época pode ser pensado errado e achado inconveniente em outra. Em tais casos, quem decide: os vivos ou os mortos?

Como quase cem páginas do livro do Sr. Burke se ocupam dessas cláusulas, segue-se que as próprias cláusulas, na medida em que elas estabelecem um domínio *usurpado por apropriação* sobre a posteridade para sempre, não têm autoridade e são nulas em sua natureza; suas volumosas inferências, e a arenga derivada disso, ou fundamentada sobre isso, são nulas também; e sobre isto eu fundamento a questão.

Chegamos agora de modo particular aos assuntos da França. O livro do Sr. Burke parece ter sido escrito como uma instrução para a Nação francesa; mas, permitindo-me usar uma metáfora extravagante, adaptada à extravagância do caso: são as trevas tentando iluminar a luz.

Enquanto estou escrevendo isso chegaram acidentalmente a mim algumas propostas para uma declaração de direitos do Marquês de la Fayette (peço-lhe perdão por usar seu título antigo, e fazer isso apenas pelo bem da distinção) à Assembleia Nacional aos 11 de julho de 1789, três dias antes da tomada da Bastilha, e não posso deixar de notar com admiração como são opostas as fontes de onde aquele cavalheiro e o Sr. Burke deduzem seus princípios. Em vez de se referir a registros mofados e pergaminhos bolorentos para provar que os direitos dos vivos estão perdidos, "renunciados e abdicados para sempre", por aqueles que já não existem, como fez o Sr. Burke, M. de la Fayette se dirige ao mundo dos vivos e diz enfaticamente: "Recordai os sentimentos que a Natureza gravou no coração de cada cidadão, que adquirem uma nova força quando são solenemente reconhecidos por todos: para uma nação amar a liberdade é suficiente que ela a conheça, e para ser livre é suficiente que ela o queira". Quão seca, árida e obscura é a fonte a partir da qual trabalha o Sr. Burke; e quão ineficazes, embora floreados, são suas arengas e argumentos comparados com aqueles claros, concisos e animados sentimentos! Poucos e breves como eles são, eles levam ao vasto campo do pensamento generoso e varonil e não terminam, como os períodos do Sr. Burke, com música no ouvido e nada no coração.

Como apresentei o M. de la Fayette, tomo a liberdade de acrescentar o que ocorreu em seu discurso de despedida ao Congresso da América em 1783, e do qual me lembrei quando vi o ataque trovejante do Sr. Burke à Revolução Francesa. M. de la Fayette foi para a América no período inicial da guerra e ficou como voluntário a serviço dela até o fim. Sua conduta durante toda esta empresa é uma das mais extraordinárias que podem ser encontradas na história de homens jovens, tendo apenas vinte anos de idade. Situado num país que era como que o regaço dos prazeres sensuais e podendo gozá-los, quão poucos podem ser encontrados que trocam um cenário destes pelas florestas e desertos da América e passam os anos floridos da juventude em perigo e dificuldade não proveitosos! Mas este é o fato. Quando terminou a guerra e estava para partir definitivamente, ele se apresentou ao Congresso e, contemplando em seu adeus carinhoso a Revolução que ele tinha visto, expressou-se nestas palavras: "Que este grande monumento erguido à liberdade possa servir de lição para o opressor e de exemplo para o oprimido!" Quando este discurso chegou às mãos do Dr. Franklin, que estava então na França, ele pediu ao Conde Vergennes para publicá-lo na Gazeta francesa, mas nunca conseguiu obter o consentimento dele. O fato é que o Conde Vergennes era um déspota aristocrata em casa e temia o exemplo da Revolução Americana na França, como certas outras pessoas temem agora o exemplo da Revolução Francesa na Inglaterra. O tributo do Sr. Burke ao medo (pois seu livro deve ser considerado deste ponto de vista) corre paralelo à recusa do Conde Vergennes. Mas, voltando exatamente ao seu livro:

"Vimos", diz o Sr. Burke, "a França se rebelar contra um monarca moderado e legítimo com mais fúria, ultraje e insulto do que qualquer povo que se tenha revoltado contra o mais ilegal usurpador ou o mais sanguinário tirano". Este é um entre mil outros exemplos em que o Sr. Burke mostra que desconhece a origem e os princípios da Revolução Francesa.

Não foi contra Luís XVI mas contra os princípios despóticos do governo que a nação se revoltou. Estes princípios não tinham sua origem nele mas na instituição original estabelecida, muitos séculos antes, e eles tinham raízes muito profundas para serem removidos, e o estábulo de Augeas cheio de parasitas e saqueadores sujo demais para ser limpo por outra coisa senão por uma Revolução completa e universal. Quando se torna necessário fazer alguma coisa, o coração e a alma inteiros entram no assunto, ou não fazem nenhuma tentativa. A crise chegara e não restava nenhuma escolha senão agir com vigor determinado ou não agir de modo algum. Sabia-se que o rei era amigo da nação e esta circunstância era favorável à empresa. Talvez nenhum homem criado no estilo de um rei absoluto jamais tenha possuído um coração tão pouco disposto a exercer esta espécie de poder como o atual rei de França. Mas os princípios do governo em si ainda continuavam os mesmos. O monarca e a monarquia eram coisas distintas e separadas, e foi contra o despotismo estabelecido da monarquia, e não contra a pessoa ou os princípios do monarca, que a revolta começou e a Revolução foi conduzida.

O Sr. Burke não leva em consideração a distinção entre *homens* e *princípios* e, portanto, ele não percebe que pode haver uma revolta contra o despotismo da monarquia, ao passo que não há nenhuma acusação de despotismo contra o monarca.

A moderação natural de Luís XVI em nada contribuiu para alterar o despotismo hereditário da monarquia. Toda a tirania de reinados passados, exercida neste despotismo hereditário, ainda estava propensa a ser revivida nas mãos de um sucessor. Não era o fim de um reinado que satisfaria a França, ilustrada como ela tinha se tornado. Uma interrupção casual da *prática* do despotismo não é uma interrupção de seus *princípios*; a primeira depende da virtude do indivíduo que está na posse imediata do poder; a última, da virtude e da fortaleza da nação. No caso de Carlos I e Jaime II, da Inglaterra, a revolta foi contra o despotismo pessoal de homens, enquanto que na França foi contra o despotismo hereditário do governo estabelecido. Mas homens que podem submeter os direitos da posteridade para sempre à autoridade de um pergaminho bolorento, como o Sr. Burke, não estão habilitados a julgar esta Revolução. Ocupa um campo vasto demais para que a vista deles possa explorar e procede com um poder de razão que eles não podem acompanhar.

Há, porém, muitos pontos de vista para considerar esta Revolução. Quando o despotismo se estabeleceu há muito tempo num país, como na França, não é na pessoa do Rei apenas que ele reside. Parece estar tão em evidência e numa autoridade nominal, mas não é assim na prática e de fato. Tem o seu modo de ser por toda parte. Cada posto e repartição tem o seu despotismo, fundamentado em usos e costumes. Cada lugar tem sua Bastilha e cada Bastilha o seu déspota. O despotismo hereditário original residente na pessoa do rei divide-se e subdivide-se em mil figuras e formas, até finalmente seu todo funcionar por delegação. Este era o caso da França. Contra esta espécie de despotismo, que se sucede num labirinto sem fim de funções até sua fonte dificilmente perceptível, não há correção. Ele se fortalece tomando a aparência de dever e tiraniza sob o pretexto de obediência.

Quando uma pessoa reflete sobre a condição em que estava a França devido à natureza de seu governo, verá outras causas para a revolta além das imediatamente ligadas à pessoa ou ao caráter de Luís XVI. Havia, se eu posso me expressar assim, mil despotismos a serem reformados na França que haviam se desenvolvido sob o despotismo hereditário da monarquia e que tinham se enraizado de tal modo a se tornarem em grande parte independentes dele. Entre a Monarquia, o Parlamento e a Igreja havia uma rivalidade de despotismo; além do despotismo feudal agindo localmente e do despotismo ministerial atuando por toda parte. Mas o Sr. Burke, considerando o rei como o único objeto de revolta, fala como se a França fosse uma aldeia, onde qualquer coisa que acontece deve ser conhecida por seu oficial comandante e nenhuma opressão poderia ocorrer que ele não pudesse imediatamente controlar. O Sr. Burke poderia ter passado toda a sua vida na Bastilha, tanto no tempo de Luís XVI como de Luís XIV, e nem um nem o outro teria sabido que tal homem como o Sr. Burke existia. Os princípios despóticos do governo estavam em ambos os reinados, embora as disposições dos homens fossem tão distantes como a tirania da benevolência.

O que o Sr. Burke considera vergonhoso para a Revolução Francesa (a de ter ocorrido num reinado mais brando do que os anteriores) é uma de suas maiores honras. As revoluções que ocorreram em outros países da Europa foram motivadas por ódios pessoais. A raiva era contra o homem, e ele se tornou a vítima. Mas, no caso da França, vemos uma revolução que foi gerada na contemplação racional dos direitos do homem e que desde o princípio distingue entre pessoas e princípios.

Mas o Sr. Burke parece não ter nenhuma ideia de princípios quando ele contempla governos. Diz ele: "Dez anos atrás eu teria felicitado a França por ela ter um governo, sem perguntar qual era a natureza do governo ou como ele era administrado". É esta a linguagem de um homem racional? É a linguagem de um coração com os sentimentos que deveria ter pelos direitos e pela felicidade da raça humana? Baseado nisso, o Sr. Burke deve cumprimentar todos os governos do mundo, enquanto as vítimas que sofrem sob o poder deles, vendidas como escravos ou torturadas até a morte, são completamente esquecidas. É o poder, e não os princípios, que o Sr. Burke venera; e nesta depravação abominável ele está desqualificado a julgar entre eles. Basta isso sobre sua opinião e sobre os acontecimentos da Revolução Francesa. Passo agora a outras considerações.

Conheço um lugar na América chamado Point-no-Point e assim é chamado porque, na medida em que você caminha ao longo da praia, alegre e florida como a linguagem do Sr. Burke, ela continuamente recua e se apresenta à mesma distância de antes, e quando você tiver chegado tão longe quanto puder, não há ponto algum. Sucede exatamente o mesmo com as trezentas e cinquenta e seis páginas do Sr. Burke. Portanto, é difícil responder a ele. Mas, como os pontos que ele deseja estabelecer podem ser inferidos de seus insultos, é em seus paradoxos que devemos procurar os seus argumentos.

Quanto às trágicas pinturas com as quais o Sr. Burke violentou sua própria imaginação, e procura agir sobre as de seus leitores, elas são muito bem calculadas para representação teatral, onde os fatos são manejados tendo em vista o espetáculo e adaptados para produzir, pela fraqueza de sentimentos, o efeito do choro. Mas o Sr. Burke deveria recordar que ele está escrevendo história e não *peças*, e que os leitores esperarão verdade e não linguagem altissonante nem exclamações em alta voz.

Quando vemos um homem lamentando dramaticamente numa publicação que se quer acreditada que *"A época da cavalaria acabou! A glória da Europa extinguiu-se para sempre! A gratuita graça da vida* (será que alguém sabe o que é isso?), *a defesa barata das nações, que promove o sentimento varonil e a coragem heroica, acabou!"* e tudo isso porque a era do disparate cavalheiresco de Dom Quixote acabou, que opinião podemos formar de seu julgamento ou que estima ter a seus fatos? Na rapsódia de sua imaginação ele descobriu um mundo de moinhos de vento e a tristeza dele é que não há mais Dom Quixote para atacá-los. Mas se a época da aristocracia, como a da cavalaria, devia terminar (e originalmente tinham alguma ligação), o Sr. Burke, o trombeteiro da ordem, pode continuar sua paródia até o fim e terminar exclamando: *"A profissão de Otelo acabou!"*

Apesar das pinturas horrendas do Sr. Burke, quando a Revolução Francesa é comparada com as revoluções de outros países, o que causa admiração é ela ser marcada por poucos sacrifícios; mas esta admiração acaba quando refletimos que os *princípios*, e não as *pessoas*, eram os objetos premeditados de destruição. A mente da nação foi levada a agir por um estímulo superior ao que a consideração de pessoas poderia inspirar e buscava uma conquista mais alta do que poderia produzir a ruína de um inimigo. Entre os poucos que caíram, parece que não houve nenhum que fosse intencionalmente indicado. Todos eles tiveram seu destino nas circunstâncias do momento e não foram perseguidos com aquela vingança longa, de sangue frio e persistente que perseguiu os infelizes escoceses no incidente de 1745.

Em todo o livro do Sr. Burke noto apenas uma menção da Bastilha, mesmo assim como se ele estivesse triste por ela ter sido demolida e preferisse que ela fosse reconstruída. "Nós reconstruímos Newgate", diz ele, "e arrendamos a mansão; e temos prisões tão seguras como a Bastilha para aqueles que ousarem caluniar as rainhas da França". Não merece qualquer consideração racional o que um louco chamado Lord G – – – G – – – teria afirmado: "Newgate é mais um manicômio do que uma prisão". Foi um louco que espalhou esta calúnia, o que o desculpa facilmente; mas este fato proporcionou uma oportunidade para confiná-lo, e era isso que se pretendia. Mas é certo que o Sr. Burke, que não se chama louco a si mesmo (embora outros possam chamá-lo assim), difamou, sem motivo algum, e no estilo mais grosseiro da ofensa mais vulgar, toda a autoridade representativa da França, e mesmo assim o Sr. Burke tem assento na Câmara dos Comuns! Com base em sua violência e mágoa, em seu silêncio sobre alguns pontos e seu excesso sobre outros, é difícil não acreditar que o Sr. Burke sinta, sinta muitíssimo, que o poder arbitrário, o poder do Papa e da Bastilha, tenham sido destruídos.

Nem um gesto de compaixão, nem um reflexo de piedade que eu pudesse encontrar em todo o seu livro, concedeu ele àqueles que se consumiam nestas miseráveis vidas, uma vida sem esperança na mais miserável das prisões. É doloroso ver um homem empregando seus talentos para se corromper a si mesmo. A natureza foi mais bondosa ao Sr. Burke do que ele a ela. Ele não é afetado pela realidade de desgraça que tocava seu coração mas pela sua semelhança ostentosa que chocava sua imaginação. Ele tem pena da plumagem mas esquece o pássaro que morre. Acostumado a beijar a mão aristocrática que o roubou de si mesmo, ele degenera numa composição de arte, e a genuína alma da natureza o abandona. O herói ou heroína dele deve ser uma vítima de tragédia que morre no espetáculo e não um prisioneiro real da miséria, que resvala para a morte no silêncio de uma masmorra.

Como o Sr. Burke passou por cima de toda a questão da Bastilha (e o seu silêncio não está a seu favor) e entreteve os seus leitores com reflexões sobre supostos fatos distorcidos em falsidades, eu relatarei, já que ele não fez, as circunstâncias que precederam esta questão. Elas servirão para mostrar que menos dano dificilmente poderia ter acompanhado um tal evento se considerarmos os traiçoeiros e hostis agravos dos inimigos da Revolução.

A mente dificilmente pode imaginar uma cena mais tremenda do que a mostrada pela cidade de Paris por ocasião da tomada da Bastilha, e nos dois dias antes e depois, nem a possibilidade de se aquietar tão cedo. À distância este assunto pareceu apenas um ato de heroísmo em si mesmo, e a ligação política íntima que tinha com a Revolução perdeu-se no seu brilho da realização. Mas nós devemos considerá-la como a força das partes trazidas por cada homem, que lutavam para isso. A Bastilha seria ao mesmo tempo o prêmio e a prisão dos assaltantes. Sua queda incluía a ideia da queda do despotismo, e esta imagem combinada se tornaria tão figurativamente unida como o *Doubting Castle* e *Giant Dispair* de Bunyan.

A Assembleia Nacional, antes da tomada da Bastilha, estava em Versalhes, a 12 milhas de Paris. Cerca de uma semana antes do levante dos parisienses e de sua tomada da Bastilha, foi descoberta uma conspiração, a cuja frente estava o Conde d'Artois, o irmão mais novo do rei, para derrubar a Assembleia Nacional, prendendo seus membros e assim esmagando, com um *coup de main*, todas as esperanças e perspectivas de formar um governo livre. Para o bem da humanidade, bem como da liberdade, foi melhor que este plano não tivesse tido sucesso. Não faltam exemplos para mostrar como são terrivelmente vingativos e cruéis todos os governos quando eles têm sucesso contra o que eles chamam de revolta.

O plano deve ter sido meditado durante algum tempo porque, para pô-lo em execução, era necessário reunir uma grande força militar em torno de Paris e cortar a comunicação entre a cidade e a Assembleia Nacional em Versalhes. As tropas destinadas para este serviço eram principalmente soldados estrangeiros a soldo da França, os quais, para esta finalidade particular, foram trazidos das distantes províncias onde estavam sentando praça. Quando se tinham reunido cerca de vinte e cinco a trinta mil, julgou-se que era tempo de pôr o plano em execução. O ministério de então, que era simpatizante da Revolução, foi imediatamente demitido e foi formado um novo ministério entre os que tinham combinado o projeto, entre os quais estava o Conde de Broglio, e lhe foi dado o comando daquelas tropas. O caráter deste homem, como me foi descrito numa carta que eu comuniquei ao Sr. Burke antes de ele começar a escrever seu livro, e de uma autoridade que o Sr. Burke sabe muito bem que é boa, era de "um aristocrata ambicioso, frio e capaz de qualquer maldade".

Durante toda esta confusão, a Assembleia Nacional se encontrava na situação mais perigosa e crítica em que se pode imaginar um grupo de homens em ação. Eles eram as vítimas condenadas, e sabiam disso. Tinham os corações e os anseios do seu país a seu lado, mas nenhuma autoridade militar. Os guardas de Broglio cercaram o prédio da Assembleia imediatamente, à voz de comando, para prender as pessoas, como tinha sido feito um ano antes com o Parlamento de Paris. Se a Assembleia Nacional tivesse abandonado sua fidelidade ou mostrado sinais de fraqueza ou medo, seus inimigos teriam se encorajado e o país afundado. Quando a situação em que se encontravam, a causa com que estavam comprometidos e a crise prestes a estourar, que determinaria o destino pessoal e político deles e do país, e provavelmente da Europa, são vistas em conjunto, somente um coração cheio de preconceitos ou corrompido pela dependência pode deixar de se interessar pelos acontecimentos. Nesse tempo o Arcebispo de Vienne era o presidente da Assembleia Nacional – uma pessoa muito idosa para enfrentar a situação que poderia ocorrer em alguns dias ou em algumas horas. Era necessário um homem mais ativo e mais forte, e a Assembleia Nacional escolheu (para vice-presidente, pois a presidência continuava com o Arcebispo) o M. de la Fayette. Este é o único caso de se ter escolhido um vice-presidente. Foi neste momento em que a tempestade era iminente (11 de julho) que a declaração de direitos foi elaborada, sendo a mesma a que nos referimos atrás. Ela foi composta rapidamente e é apenas uma parte de uma declaração mais ampla de direitos depois aprovada e adotada pela Assembleia Nacional. O motivo principal de publicá-la neste momento (M. de la Fayette me informou) era que, se a Assembleia Nacional fracassasse na destruição ameaçadora que a cercava, algumas características de seus princípios poderiam ter a possibilidade de sobreviver à ruína.

Tudo agora estava caminhando para uma crise. O grande evento seria libertação ou escravidão. De um lado, um exército de quase trinta mil homens; de outro lado, um grupo desarmado de cidadãos; pois os cidadãos de Paris, de quem a Assembleia Nacional deveria então depender diretamente, estavam tão desarmados e eram tão indisciplinados como são os cidadãos de Londres agora. Os guardas franceses davam fortes sinais de estarem ligados à causa nacional; mas seu número era pequeno, nem uma décima parte da força comandada por Broglio, e seus oficiais estavam do lado de Broglio.

Estando tudo pronto para agir, o novo ministério tomou posse. O leitor deve ter presente que a Bastilha foi tomada no dia 14 de julho. Falo agora do dia 12. A notícia da mudança do ministério chegou imediatamente a Paris, de tarde, e os teatros e locais de diversão, as lojas e as casas foram fechadas. A mudança de ministério foi considerada como o prelúdio das hostilidades, e a opinião estava corretamente fundamentada.

Os soldados estrangeiros começaram a avançar sobre a cidade. O Príncipe de Lambesc, que comandava um destacamento de cavalaria alemã, aproximou-se do Palácio de Luís XV, que está ligado a algumas ruas. Em sua marcha ele insultou e feriu um homem idoso com sua espada. Os franceses são notórios por seu respeito à velhice. A insolência com que aquilo foi feito, unida à fermentação geral em que se encontravam, produziu um efeito poderoso, e o grito *"às armas! às armas!"* espalhou-se instantaneamente pela cidade.

Armas eles não tinham nenhuma e poucos as sabiam usar. A resolução desesperada, quando toda a esperança está em jogo, supre, por um momento, a falta de armas. Perto de onde estava o Príncipe de Lambesc havia grandes pilhas de pedras recolhidas para o construção de uma nova ponte, e com elas o povo atacou a cavalaria. Uma parte dos guardas franceses, ao saber do combate, correu de seus alojamentos para se juntar ao povo; e ao cair da noite, a cavalaria se retirou.

As ruas de Paris, por serem estreitas, favorecem a defesa, e a altura das casas, que têm diversos pavimentos, de onde se pode causar grande incômodo, garantia-os contra ataques noturnos. A noite serviu para providenciarem todo tipo de arma que eles pudessem fazer ou obter: armas de fogo, espadas, martelos de ferreiro, machados de carpinteiro, barras de ferro, lanças, alabardas, forcados, espetos, clavas, etc., etc. O número incrível que se reuniu na manhã seguinte, e mais ainda a incrível resolução que mostravam, perturbou e assombrou os seus inimigos. O novo ministério de modo algum esperava tal apresentação de armas. Acostumados à escravidão, eles não tinham ideia de que a Liberdade era capaz de tal inspiração, ou que um grupo de cidadãos desarmados ousasse enfrentar a força militar de trinta mil homens. Cada momento desse dia foi usado em recolher armas, elaborar planos e se organizarem da melhor forma que permite um movimento feito num instante. Broglio continuou cercando a cidade mas não avançou mais nesse dia, e a noite seguinte foi tão tranquila quanto um cenário desses talvez pudesse admitir.

Mas o objetivo dos cidadãos não era a defesa. Eles tinham uma causa em jogo, da qual dependia a liberdade ou a escravidão deles. A qualquer momento eles esperavam um ataque, ou ouvir falar de alguma investida à Assembleia Nacional; numa tal situação, as medidas mais imediatas são às vezes as melhores. O objetivo que se apresentava agora era a Bastilha. O *éclat* de tomar esta fortaleza diante de um tal exército não deixava de causar terror no novo ministério, que mal tivera tempo de se reunir. Através de correspondência interceptada foi descoberto que o prefeito de Paris, M. Defflesselles, que parecia estar do lado dos cidadãos, estava para os trair. Com esta descoberta não restava nenhuma dúvida de que Broglio reforçaria a Bastilha na tarde seguinte. Era portanto necessário atacá-la no dia seguinte. Mas antes de fazer isso, primeiro era necessário obter um suprimento de armas melhor do que o que tinham.

Perto da cidade havia um grande depósito de armas no Hospital dos Inválidos, que os cidadãos exigiram que fossem entregues. Como o lugar não tinha muita defesa, nem fez muita tentativa de se defender, eles logo conseguiram. Assim supridos, marcharam para atacar a Bastilha. Uma grande multidão mista de todas as idades, de todas as posições, armada com todo o tipo de armas. A imaginação não conseguiria descrever o aspecto de tal procissão e a ansiedade em torno dos acontecimentos que poderiam ocorrer em algumas horas ou em alguns minutos. Os planos do ministério eram tão desconhecidos das pessoas na cidade quanto os dos cidadãos eram desconhecidos do ministério; e as ações estratégicas de Broglio para defender ou abandonar o local eram igualmente desconhecidas pelos cidadãos. Tudo era mistério e acaso.

Como todos sabem, a Bastilha foi atacada com um entusiasmo e heroísmo que apenas a animação máxima da Liberdade podia inspirar, e este ataque foi realizado num espaço de poucas horas. Não é de um detalhe do ataque que falo, mas da conspiração contra a nação que o provocou e caiu com a Bastilha. A prisão à qual o novo ministério destinava a Assembleia Nacional, além de ser o altar-mor e o castelo do despotismo, tornou-se o próprio objetivo com que ia começar. Esta ação derrubou o novo ministério, que agora começou a fugir da ruína que tinha preparado para outros. As tropas de Broglio se dispersaram e ele fugiu também.

O Sr. Burke falou muito de conspirações mas nenhuma vez falou dessa conspiração contra a Assembleia Nacional e as liberdades da Nação. E como ele não podia falar desta, passou por cima de todas as circunstâncias que poderiam levar a conspiração nesta direção. Os exilados que fugiram da França, por cujos casos ele tanto se interessa, e com os quais ele aprendeu, fugiram em consequência do malogro de sua conspiração. Não foi feita nenhuma conspiração contra eles. Eles estavam conspirando contra outros. E aqueles que caíram encontraram, não injustamente, a punição que eles estavam preparando para executar. Mas o Sr. Burke dirá: se esta conspiração, ideada com a sutileza de uma emboscada, tivesse tido sucesso, a parte vitoriosa teria parado tão cedo com sua fúria? Que a história de todos os antigos governos responda a esta pergunta.

A quem a Assembleia Nacional levou para o cadafalso? Ninguém. Eles mesmos eram as vítimas condenadas desta conspiração, e eles não se vingaram; por que então são eles acusados de vingança que eles não praticaram? Na tremenda irrupção de todo um povo, na qual todas as classes, temperamentos e índoles se confundem, libertando-se por um esforço milagroso da destruição meditada contra eles, se deveria esperar que nada acontecesse? Quando os homens estão magoados com o sentimento de opressão e ameaçados com a possibilidade de novas opressões, é a serenidade da filosofia ou a paralisia da insensibilidade que deve ser procurada? O Sr. Burke grita contra a violência; contudo, maior é a que ele mesmo cometeu. Seu livro é um volume de ofensas, não desculpáveis pelo impulso de um momento, mas alimentadas por um espaço de dez meses. Contudo, o Sr. Burke não foi provocado, nem sua vida ou seus interesses estavam em jogo.

Nesta luta morreram mais cidadãos do que oponentes deles. Apenas quatro ou cinco pessoas foram pegas pelo povo e instantaneamente mortas: o diretor da Bastilha e o prefeito de Paris, que foi descoberto traindo-os, e depois Foulon, membro do novo ministério, e Berthier, genro dele, que tinha aceito o cargo de intendente de Paris. As cabeças deles foram fixadas em espetos e levadas pela cidade. É sobre esse modo de punição que o Sr. Burke constrói grande parte de suas cenas trágicas. Vamos portanto examinar como os homens chegaram à ideia de punir desta maneira.

Eles aprendem do governo sob o qual vivem e se vingam com as mesmas punições que estavam acostumados a ver. As cabeças fixadas em espetos que ficaram durante anos no Temple Bar em nada diferem em horror daquelas carregadas em espetos em Paris, embora isso tenha sido feito pelo governo inglês. Talvez deva ser dito que o que se faz a um homem depois de morto não significa nada para ele, mas significa muito para os vivos; isso tanto atormenta seus sentimentos como endurece seus corações, e em qualquer caso ensina-os como punir quando o poder cai em suas mãos.

Ponha o machado na raiz e ensine humanidade aos governos. São suas punições sanguinárias que corrompem a humanidade. Na Inglaterra as punições em certos casos são por *enforcamento, tiro* e *esquartejamento*; o coração da vítima é extraído e elevado à vista do povo. Na França, no governo anterior, as punições não eram menos bárbaras. Quem não se lembra da execução de Damien, feito em pedaços por cavalos? O efeito desses espetáculos cruéis exibidos ao povo é destruir o sentimento de ternura e excitar a vingança; e, com base na falsa ideia de governar homens pelo terror em vez da razão, eles se tornam precedentes. É sobre a classe mais baixa da humanidade que o governo procura agir pelo terror, e é sobre ela que ele causa o maior efeito. Ela tem senso bastante para perceber que é o objeto visado; e ela, por sua vez, aplica os exemplos de terror que aprendeu a praticar.

Há em todos os países europeus uma grande classe de pessoas do tipo descrito, que na Inglaterra é chamada *Mob.* A esta classe pertenciam os que praticaram os incêndios e as devastações em Londres em 1780, e desta classe eram os que carregaram as cabeças sobre espetos em Paris. Foulon e Berthier foram presos no interior e enviados a Paris, para serem interrogados no Hôtel de Ville (palácio municipal). A Assembleia Nacional, assim que o novo ministério tomou posse, aprovou um decreto, que ela comunicou ao rei e ao gabinete, que ela (a Assembleia Nacional) tornava o ministério, do qual Foulon era membro, responsável pelas medidas que eles aconselhavam e perseguiam; mas a multidão, encolerizada com o aparecimento de Foulon e Berthier, arrancou-os dos que os conduziam, antes de eles chegarem ao Hôtel de Ville, e os executou imediatamente. Por que então o Sr. Burke acusa todo um povo de violência deste tipo? Do mesmo modo ele podia acusar todo o povo de Londres pelos tumultos e violências de 1780, ou todos os camponeses como responsáveis pelos ocorridos na Irlanda.

Mas tudo que vemos ou ouvimos de ofensivo a nossos sentimentos e aviltante da condição humana deveria levar a outras reflexões e não apenas à censura. Mesmo os seres que os cometem têm algum direito à nossa consideração. Como é então que classes inteiras da humanidade são chamadas de multidão vulgar ou ignorante e são tão numerosas em todos os países antigos? Ao mesmo tempo em que nos fazemos esta pergunta, a reflexão percebe uma resposta. Elas surgem como consequência inevitável da má constituição de todos os antigos governos na Europa, inclusive da Inglaterra. É devido ao engrandecimento distorcido de alguns homens que outros são distorcidos e aviltados, até que o conjunto esteja desnaturado. Imensa massa humana é vilmente jogada para o fundo do quadro humano para ressaltar, com mais brilho, o espetáculo de fantoches do Estado e da Aristocracia. No começo de uma revolução estes homens são mais militares do que amantes da bandeira da Liberdade, e ainda precisam ser ensinados a reverenciá-la.

Mostro ao Sr. Burke todos os seus exageros teatrais dos fatos e em seguida lhe pergunto se eles não estabelecem a certeza do que eu sustentei aqui. Admitindo que sejam verdadeiros, eles mostram a necessidade da Revolução Francesa, tanto como qualquer coisa que ele possa ter afirmado. Estas violências não eram resultado dos princípios da Revolução, mas da mente aviltada que existiu antes da Revolução e que a Revolução quis reformar. Põem-nas em sua própria causa e usam o seu descrédito para seu próprio bem.

É honroso para a Assembleia Nacional e para a cidade de Paris que, num cenário tremendo de armas e confusão fora do controle de qualquer autoridade, eles foram capazes, pela influência do exemplo e da exortação, de moderar tanto. Nunca houve mais sofrimentos que serviram para instruir e esclarecer a humanidade, e para fazer com que vissem que seu interesse consistia em sua virtude e não em sua vingança, do que foi mostrado na Revolução Francesa. Agora farei algumas observações sobre o relato do Sr. Burke da expedição a Versalhes aos 5 e 6 de outubro.

Não posso deixar de considerar o livro do Sr. Burke a não ser do ponto de vista de uma composição dramática; e creio que ele mesmo o deve ter considerado do mesmo modo, devido às liberdades poéticas que ele tomou de omitir alguns fatos, distorcer outros, e fazendo todo o conjunto tender a produzir um efeito teatral. É deste tipo o seu relato da expedição a Versalhes. Ele começa este relato omitindo exatamente os fatos que são as verdadeiras causas. Tudo mais é conjetura, mesmo em Paris. Ele então elabora um conto adaptado às suas próprias paixões e preconceitos.

Deve-se observar em todo o livro do Sr. Burke que ele nunca fala de conspiração *contra* a Revolução; e foi destas conspirações que surgiram todos os males. Isso serve para seu propósito de mostrar as consequências sem as suas causas. Fazer isso é uma das artes do drama. Se os crimes dos homens fossem mostrados com os sofrimentos deles, o efeito teatral às vezes se perderia e o público tenderia a aprovar aquilo com que se pretendia que ele se condoesse.

Depois de todas as investigações que foram feitas sobre este caso intrincado (a expedição a Versalhes), ele continua envolvido em todo tipo de mistério que sempre acompanha eventos produzidos mais pela coincidência de circunstâncias desfavoráveis do que planejadas. Enquanto está se formando a índole dos homens, como é sempre o caso nas revoluções, há uma suspeita recíproca e uma tendência a se interpretarem mal mutuamente; mesmo partes diretamente opostas em princípio às vezes se unem para levar avante o mesmo movimento com visões muito diferentes e com a esperança de ocorrerem consequências muito diferentes. Muito disso pode ser descoberto neste caso confuso, e até o resultado final foi o que ninguém tinha em vista.

Os únicos fatos certos conhecidos é que se levantou uma considerável inquietação em Paris devido à demora do rei em não sancionar e levar adiante os decretos da Assembleia Nacional, particularmente o da *Declaração dos direitos do homem* e os decretos de *quatro de agosto*, que continham os princípios fundamentais sobre os quais seria elaborada a constituição. A melhor e talvez a mais acertada conjetura nesse assunto é que alguns ministros procuravam fazer notas e observações em algumas partes antes de serem finalmente sancionadas e enviadas às províncias; mas seja como for, os inimigos da Revolução tiraram esperança dessa demora e os amigos da Revolução ficaram inquietos.

Enquanto durava esta situação de suspense, a *Garde du Corps*, que era composta, como geralmente são os regimentos desse tipo, de pessoas muito ligadas à corte, deram uma festa em Versalhes (no dia 1º de outubro) para alguns regimentos estrangeiros que tinham chegado; quando a festa estava em seu auge, a um sinal dado, a *Garde du Corps* tirou a insígnia nacional de seus chapéus, calcaram-nas aos pés e as substituíram por outras insígnias preparadas para a ocasião. Uma indignidade deste tipo equivalia a um desafio. Era o mesmo que declarar guerra. Quando se desafia, deve-se esperar as consequências. Mas o Sr. Burke escondeu tudo isso cuidadosamente. Ele começa o seu relato, dizendo: "A história registrará que na manhã de 6 de outubro de 1789 o rei e a rainha de França, depois de um dia de confusão, sobressalto, consternação e massacre, aceitaram sem protesto a prometida segurança da lealdade pública, para permitir que a natureza descansasse algumas horas, e a tristeza perturbada repousasse". Este não é o estilo sóbrio da história, nem sua intenção. Deixa tudo na conjetura e no equívoco. Pensar-se-ia no mínimo que houve uma batalha; e provavelmente teria havido uma batalha, não fosse a prudência moderadora daqueles que o Sr. Burke envolve em suas censuras. Mantendo a *Garde du Corps* fora da vista, o Sr. Burke, num gesto dramático, se julgou no direito de pôr o rei e a rainha no lugar deles, como se o objetivo da expedição fosse contra eles. Mas, volto a meu relato.

A conduta da *Garde du Corps*, como era de se esperar, alarmou e enfureceu os parisienses. A bandeira da causa, e a própria causa, se unificaram com o insulto, e os parisienses estavam determinados a ajustar as contas com a *Garde du Corps*. Certamente não havia nenhuma covardia de assassinato em marchar em pleno dia para exigir satisfação, se é que se pode falar assim, de um grupo de homens armados que voluntariamente tinham lançado um desafio. Mas a circunstância que serve para confundir este caso é que tanto os inimigos da revolução o encorajaram como seus amigos. Um queria evitar uma guerra civil reprimindo-a a tempo e o outro queria fazê-la. A esperança dos que se opunham à Revolução era trazer o rei para o seu lado e levá-lo de Versalhes para Metz, onde eles esperavam reunir uma força e levantar uma bandeira. Temos, portanto, dois diferentes objetivos que se apresentam ao mesmo tempo e a serem alcançados pelos mesmos meios: um era punir a *Garde du Corps*, que era o objetivo dos parisienses; o outro era aproveitar a confusão deste acontecimento para convencer o rei a partir para Metz.

No dia 5 de outubro um grande grupo de mulheres, e de homens disfarçados de mulheres, se reuniram em torno do Hôtel de Ville ou palácio municipal de Paris e partiram para Versalhes. Seu objetivo declarado era a *Garde du Corps*; mas os homens prudentes recordam que o mal é mais facilmente começado que terminado; e isso se mostrou com mais força, além do que já se suspeitava, a partir da irregularidade desta cavalgada. Assim, portanto, que se reuniu uma força suficiente, M. de la Fayette, por ordem da autoridade civil de Paris, saiu atrás deles na frente de vinte mil da milícia de Paris. A revolução podia não tirar nenhum benefício da confusão, mas seus opositores podiam. Com uma maneira amigável e vigorosa de tratar ele tinha até agora tido sucesso em acalmar inquietações, e tivera extraordinário êxito nisso. Para frustrar, portanto, as esperanças dos que pudessem se aproveitar desta ocasião para justificar a necessidade de o rei abandonar Versalhes e se retirar para Metz e evitar ao mesmo tempo as consequências que pudessem resultar entre a *Garde du Corps* e este batalhão de homens e mulheres, ele se adiantou em dizer ao rei que estava marchando para Versalhes por ordem da autoridade civil de Paris, tendo em vista a paz e a proteção, expressando ao mesmo tempo a necessidade de impedir a *Garde du Corps* de atirar contra o povo.

Ele chegou a Versalhes entre dez e onze da noite. A *Garde du Corps* estava em ordem de batalha e o povo tinha chegado um pouco antes, mas tudo estava suspenso. A sabedoria e a arte consistia agora em mudar um cenário de perigo num evento feliz. M. de la Fayette tornou-se o mediador entre as partes enfurecidas; e o rei, para remover o mal-estar que surgira da demora já existente, enviou despacho para o presidente da Assembleia Nacional e assinou a *Declaração dos Direitos do Homem* e as outras partes da Constituição que já estavam prontas.

Já era quase uma da manhã. Tudo parecia em perfeita ordem. Houve felicitação geral. Ao toque de um tambor se anunciava que os cidadãos de Versalhes dariam hospitalidade em suas casas aos companheiros cidadãos de Paris. Os que não puderam ser assim acomodados ficaram nas ruas ou se alojaram nas igrejas. Às duas horas o rei e a rainha se retiraram.

As coisas continuaram assim até o raiar do dia, quando surgiu um novo distúrbio originado da conduta censurável de pessoas dos dois lados, pois sempre há gente desse tipo. Um dos guardas da *Garde du Corps* apareceu numa janela do palácio, e as pessoas que tinham ficado durante a noite nas ruas lhe dirigiram insultos e palavras provocadoras. Em vez de se retirar, o que a prudência mandaria num caso destes, ele pegou sua espingarda, atirou e matou um membro da milícia de Paris. Rompida assim a paz, o povo invadiu o palácio em busca do agressor. Atacou os guardas da *Garde du Corps* dentro do palácio, perseguiu-os pelos seus corredores internos, e até os aposentos do rei. Neste tumulto, não apenas a rainha, como descreveu o Sr. Burke, mas também todas as pessoas do palácio foram despertadas e alarmadas. O M. de la Fayette pela segunda vez interveio entre as partes; em consequência, a *Garde du Corps* pôs novamente a insígnia nacional, e a questão terminou como que por esquecimento depois da perda de duas ou três vidas.

Durante a última parte da confusão, o rei e a rainha estavam em público na sacada e nenhum deles se escondeu por motivo de segurança, como insinua o Sr. Burke. Estando assim apaziguada a questão, e restaurada a tranquilidade, surgiu uma aclamação geral: *Le roi à Paris, Le roi à Paris*: o rei em Paris. Foi o grito de paz imediatamente aceito pelo rei. Deste modo todos os futuros projetos de levar o rei para Metz e de impor a bandeira da oposição à constituição foram evitados e as suspeitas extintas. O rei e sua família chegaram a Paris de tarde e em sua chegada foram saudados por M. Bailley, o prefeito de Paris, em nome dos cidadãos. O Sr. Burke, que em seu livro confunde coisas, pessoas e princípios, em suas observações sobre o discurso de M. Bailley confundiu o tempo também. Ele censura M. Bailley por ter dito "bom dia" (*un bon jour*). O Sr. Burke deveria ter se informado que este acontecimento durou dois dias inteiros: o dia em que começou, com toda a aparência de perigo e dano, e o dia em que terminou sem os danos ameaçados; e é a este término pacífico que o M. Bailley alude, e à chegada do rei a

Paris. Não menos do que trezentas mil pessoas acompanhavam o cortejo de Versalhes a Paris e nenhum ato molesto foi praticado durante toda a caminhada.

O Sr. Burke, baseado na autoridade de M. Lally Tollendal, um desertor da Assembleia Nacional, diz que em toda Paris o povo gritava: "*Tous les évêques à la lanterne*": todos os bispos sejam enforcados nos postes de luz. É surpreendente que ninguém tenha escutado isso senão Lally Tollendal, e que ninguém tenha acreditado a não ser o Sr. Burke. Não tem a mínima ligação com todo o ocorrido e é totalmente estranho a qualquer circunstância sua. Os bispos não tinham sido apresentados antes em nenhuma cena do drama do Sr. Burke. Por que então, de uma vez e todos juntos, *tout à coup et tous ensemble*, são introduzidos agora? O Sr. Burke apresenta suas figuras de bispos e lanternas, numa lanterna mágica, e cria suas cenas por contraste em vez de ligação. Isso serve para mostrar, com o resto de seu livro, o pouco crédito que deveria ser dado quando não se dá importância mesmo à probabilidade, com a finalidade de difamar. Com esta reflexão, em vez de um solilóquio em louvor da cavalaria, como fez o Sr. Burke, encerro meu relato da expedição a Versalhes.

Agora devo seguir o Sr. Burke através de um deserto intransitável de rapsódias e de uma espécie de canto popular sobre governos, em que ele afirma o que lhe agrada, pressupondo que seja acreditado, sem apresentar provas ou razões para agir assim.

Antes de qualquer argumento com vista a uma conclusão, alguns fatos, princípios ou dados, a partir dos quais podemos raciocinar, devem ser estabelecidos, admitidos ou negados. O Sr. Burke, com seu ultraje habitual, ofende a *Declaração dos direitos do homem* publicada pela Assembleia Nacional da França como a base sobre a qual foi construída a constituição da França. Ele a chama de "desprezíveis e confusas folhas de papel sobre os direitos do homem". Negará o Sr. Burke que o *homem* tenham direitos? Se negar, deverá dizer também que tais coisas como direitos não existem em parte alguma, e que ele mesmo não tem nenhum. Pois para que existem eles no mundo senão para o homem? Mas se o Sr. Burke admitir que o homem tem direitos, a questão será; o que são estes direitos e como o homem os obtém originalmente?

O erro daqueles que argumentam com precedentes extraídos da antiguidade, em relação aos direitos do homem, é que eles não vão muito longe na antiguidade. Eles não fazem todo o caminho. Param em algum estágio intermediário de cem ou de mil anos e apresentam o que então foi feito como regra para os dias de hoje. Isto de modo algum é autoridade. Se viajarmos mais longe na antiguidade, encontraremos opinião e prática dominantes frontalmente contrários; e se antiguidade deve ser autoridade, podem ser apresentadas mil autoridades assim, contradizendo-se sucessivamente uma a outra; mas, se continuarmos, afinal terminaremos certos; chegaremos ao tempo em que o homem veio da mão de seu Artífice. O que era ele então? Homem. Homem era seu grande e único título, e um mais alto não lhe pode ser dado. Mas de títulos falaremos depois.

Agora chegamos à origem do homem e à origem de seus direitos. Quanto à maneira como o mundo foi governado daquele dia até este, só nos interessa fazer um bom uso dos erros ou das melhorias que sua história apresenta. Aqueles que viveram cem ou mil anos atrás eram modernos em seu tempo, como nós somos agora. Eles tinham os *seus* antigos, e estes antigos tinham outros, e também nós seremos antigos na nossa vez. Se o mero nome de antiguidade deve governar nos assuntos da vida, as pessoas que viverem daqui a cem ou mil anos podem também nos tomar como um precedente, como nós tornamos um precedente aqueles que viveram cem ou mil anos atrás. O fato é que porções de antiguidade, por provarem tudo, não estabelecem nada. É sempre autoridade contra autoridade até chegarmos à origem divina dos direitos do homem na criação. Aqui nossas interrogações encontram um lugar de descanso e nossa razão encontra uma casa. Se a discussão sobre os direitos do homem tivessem surgido um século depois da criação, é a esta fonte de autoridade que eles deveriam ter-se referido, e é a esta mesma fonte de autoridade que devemos nos referir agora.

Embora eu não queira tocar em nenhum princípio sectário de religião, é digno de nota que a genealogia de Cristo é traçada até Adão. Por que então não referir os direitos do homem à criação do homem? Responderei a pergunta. Porque houve governos intrusos, intrometendo-se e trabalhando presunçosamente para *des-fazer* o homem.

Se alguma geração de homens possui jamais o direito de determinar o modo pelo qual o mundo deveria ser governado para sempre, seria a primeira geração que existiu; e se aquela geração não o fez, nenhuma geração seguinte pode mostrar qualquer autoridade para fazê-lo, nem pode erigir nenhuma. O princípio iluminador e divino dos direitos iguais do homem (pois sua origem está no Artífice do homem) refere-se não apenas aos indivíduos vivos, mas às gerações de homens que se sucedem mutuamente. Cada geração é igual em direitos à geração que a precedeu, pela mesma regra que cada indivíduo nasce igual em direitos em relação a seus contemporâneos.

Toda história da criação e todo relato tradicional, seja do mundo letrado ou iletrado, embora possam variar em sua opinião ou crença sobre certas particularidades, todos concordam num ponto: *a unidade do homem*; com isso quero dizer que os homens são todos de *um só nível* e, consequentemente, que todos os homens nasceram iguais e com direitos naturais iguais, do mesmo modo como se a posteridade tivesse continuado por *criação* em vez de *geração*, sendo a última apenas o modo como é levada avante a primeira e, consequentemente, toda criança nascida no mundo deve ser considerada como derivando sua existência de Deus. O mundo é tão novo para ela como era para o primeiro homem que existiu e seu direito natural nele é da mesma espécie.

O relato mosaico da criação, seja ele considerado de autoridade divina ou meramente histórico, é completo neste ponto: *a unidade ou igualdade do homem*. As expressões não permitem nenhuma controvérsia: "Deus disse: Façamos o homem à nossa imagem. Deus criou o homem à sua imagem, à imagem de Deus o criou, macho e fêmea ele os criou". A distinção de sexos é indicada, mas nenhuma outra distinção está sequer implícita. Se isso não é de autoridade divina, ao menos é de autoridade histórica, e mostra que a igualdade do homem, longe de ser uma doutrina moderna, é a mais antiga já registrada.

Também se deve observar que todas as religiões conhecidas no mundo fundam-se, na medida em que se relacionam ao homem, na *unidade do homem*, pertencendo todos a um nível. Seja no céu ou no inferno, ou em qualquer estado que se possa supor que o homem exista depois deste mundo, o bom e o mal são as únicas distinções. Não só isso, até as leis dos governos são obrigadas a entrar neste princípio, fazendo os níveis consistir em crimes e não em pessoas.

Esta é uma das maiores de todas as verdades e uma das mais altas vantagens a cultivar. Considerando o homem nesta luz, e instruindo-o a considerar a si mesmo nesta luz, coloca-o em conexão íntima com todos os seus deveres, seja para com o Criador ou para com a criação, da qual ele é parte; e é apenas quando ele esquece sua origem, ou, para usar uma frase mais comum, seu *nascimento* e sua *família*, que ele se torna dissoluto. Não está entre os menores males dos atuais governos por toda a Europa que o homem, considerado como homem, é levado para bem longe de seu Artífice e a lacuna artificial é preenchida por uma sucessão de barreiras, ou uma espécie de portões com torniquetes, pelos quais tem que passar. Citarei o catálogo de barreiras do Sr. Burke, que ele colocou entre o homem e seu Artífice. Pondo-se no papel de um arauto, ele diz: *Nós tememos a Deus – olhamos os reis com admiração – os parlamentos com afeição – os magistrados com submissão – os padres com reverência e a nobreza com respeito.* O Sr. Burke esqueceu de incluir a "*cavalaria*". Ele também esqueceu de incluir Pedro.

O dever do homem não é um deserto de portões com torniquetes, pelos quais ele deve passar com bilhetes de um para o outro. É muito simples e consiste apenas de dois pontos. Seu dever para com Deus, que todo homem deve sentir, e seu dever para com o próximo, tratá-lo como gostaria de ser tratado por ele. Se aqueles a quem o poder é delegado agirem bem, serão respeitados, senão, serão desprezados; e em relação àqueles a quem nenhum poder é delegado, mas que o tomam, o mundo racional pode não saber nada deles.

Até aqui falamos apenas (e só em parte) dos direitos naturais do homem. Agora devemos considerar os direitos civis do homem e mostrar como um se origina do outro. O homem não entra numa sociedade para se tornar *pior* do que ele era antes, não para ter menos direitos do que tinha antes, mas para ter estes direitos assegurados. Seus direitos naturais são o fundamento de todos os seus direitos civis. Mas para prosseguir com mais precisão com esta distinção é necessário marcar as diferentes qualidades dos direitos naturais e civis.

Umas poucas palavras explicarão isso. Direitos naturais são aqueles que pertencem ao homem pelo fato de existir. Desta espécie são todos os direitos intelectuais, os direitos da mente, e também todos os direitos de agir como indivíduo para seu próprio conforto e felicidade, que não são prejudiciais aos direitos naturais de outros. Direitos civis são aqueles que pertencem ao homem pelo fato de ser membro da sociedade. Todo direito civil tem como fundamento algum direito natural preexistente no indivíduo, mas seu poder individual não é, em todos os casos, competente bastante para usufruí-los. Desta espécie são todos aqueles que se relacionam com a segurança e a proteção.

A partir desta breve visão será fácil distinguir entre esta classe de direitos naturais que o homem conserva depois de entrar na sociedade e aqueles que ele coloca no fundo comum como membro da sociedade.

Os direitos naturais que ele conserva são aqueles em que o *poder* de realizá-lo é tão perfeito no indivíduo como o próprio direito. Nesta classe, como foi mencionado antes, estão todos os direitos intelectuais, ou direitos da mente; consequentemente, a religião é um destes direitos. Os direitos naturais que não são conservados são todos aqueles nos quais, embora o direito seja perfeito no indivíduo, o poder de realizá-los é imperfeito. Eles não respondem a sua finalidade. Um homem, por direito natural, tem direito a julgar em sua própria causa; e, no tocante ao direito da mente, ele nunca o renuncia. Mas de que lhe serviria julgar, se ele não tem poder para retificar? Ele deposita portanto este direito no fundo comum da sociedade, e se apoia no braço da sociedade, da qual ele é parte, dando-lhe preferência e colocando-a acima de seus próprios interesses. A sociedade não lhe *concede* nada. Cada homem é um proprietário na sociedade e conduz o capital como uma questão de direito.

Destas premissas seguirão duas ou três conclusões certas:

Primeira, *que todo direito civil nasce de um direito natural, ou, em outras palavras, é um direito natural permutado.*

Segunda, *que o poder civil propriamente considerado como tal é formado pelo conjunto daquela classe de direitos naturais do homem, que se torna imperfeita no indivíduo com respeito ao poder e não corresponde à finalidade dele mas, quando concentrada, torna-se apropriada para o objetivo de cada um.*

Terceira, *que o poder produzido pelo conjunto dos direitos naturais, imperfeito em poder no indivíduo, não pode ser aplicado para invadir os direitos naturais conservados no indivíduo, no qual o poder de realizar é tão perfeito como o próprio direito.*

Em poucas palavras delineamos agora o homem que passa de indivíduo natural para membro da sociedade e mostramos, ou tentamos mostrar, a qualidade dos direitos naturais conservados e daqueles que são permutados por direitos civis. Apliquemos agora estes princípios aos governos.

Olhando para o mundo, é facílimo distinguir os governos que surgiram da sociedade, ou do pacto social, dos outros que não surgiram assim. Mas, para isso ficar mais claro do que permite um simples relance, será conveniente examinar as diversas fontes das quais surgiram os governos e sobre as quais foram fundados.

Elas podem ser abrangidas por três títulos:

Primeiro, *Superstição*.

Segundo, *Poder.*

Terceiro, *O interesse comum da sociedade e os direitos comuns do homem.*

O primeiro foi o poder da astúcia eclesiástica, o segundo dos conquistadores e o terceiro da razão.

Quando um grupo de homens ardilosos pretendeu, por meio de oráculos, manter contato com a Divindade, de maneira tão familiar como eles agora sobem pela escada dos fundos nas cortes europeias, o mundo estava completamente sob o governo da superstição. Os oráculos eram consultados e tudo o que se punha na boca deles se tornava lei. Este tipo de governo durou enquanto durou este tipo de superstição.

Depois destes surgiram os conquistadores, cujo governo, como o de Guilherme o Conquistador, estava fundado no poder, e a espada assumiu o nome de um cetro. Governos assim estabelecidos duram enquanto dura o poder que os apoia. Mas, como eles podem se valer de qualquer artifício em seu favor, uniram a fraude à força e erigiram um ídolo que chamaram de *Direito Divino*, o qual, imitando o Papa, que aparenta ser espiritual e temporal, e em contradição com o Fundador da religião cristã, transformou-se depois em um ídolo de outra forma chamado *Igreja e Estado.* A chave de São Pedro e a chave do Tesouro se confundiram e uma grande multidão enganada adorou a invenção.

Quando considero a dignidade natural do homem, quando me compadeço (pois a natureza não foi suficientemente bondosa comigo para embotar meus sentimentos) da honra e da felicidade de seu caráter, fico irritado com a tentativa de governar a humanidade pela força e a fraude, como se todos fossem servos e tolos, e dificilmente posso evitar a aversão àqueles que assim se impuseram.

Devemos agora examinar os governos que surgem da sociedade, em oposição àqueles que surgem da superstição e da conquista.

Considerou-se um grande avanço para estabelecer os princípios da liberdade dizer que o governo é um contrato entre os que governam e os que são governados. Mas isso não pode ser verdadeiro porque coloca o efeito antes da causa. Porque, como o homem deve ter existido antes de existir governo, houve necessariamente um tempo em que não existiu governo e, consequentemente, originariamente não poderia existir nenhum governante para fazer um tal pacto entre eles. O fato, portanto, deve ser que os *próprios indivíduos*, cada um em seu direito pessoal e soberano, *fizeram um pacto entre si para criar um governo.* Este é o único modo pelo qual um governo tem direito de surgir e o único princípio a partir do qual tem direito de existir.

Para termos uma ideia clara do que é governo, ou o que deveria ser, devemos ir à sua origem. Ao fazer isso descobriremos facilmente que os governos devem ter surgido *do* povo ou *sobre* o povo. O Sr. Burke não fez nenhuma distinção. Ele não investiga nada até sua fonte e por isso confunde tudo. Ele manifestou sua intenção de empreender, numa oportunidade futura, uma comparação entre as constituições da Inglaterra e da França. Tornando isso assim um assunto de controvérsia por lançar desafio, eu o ataco em seu próprio campo. É nos maiores desafios que as verdades mais altas têm o direito de aparecer. Eu o aceito com a maior disposição porque ele me dá, ao mesmo tempo, uma oportunidade de prosseguir com o assunto relacionado com os governos que surgem da sociedade.

Primeiro, porém, é necessário definir o que se quer dizer com *constituição*. Não basta adotarmos a palavra; devemos fixar um significado para ela.

Constituição não é uma coisa apenas de nome, mas de fato. Ela não é um ideal mas tem existência real. E se ela não pode ser produzida de forma visível, ela não existe. Uma constituição é uma coisa que *antecede* um governo, e um governo é apenas a criatura de uma constituição. A constituição de um país não é o ato de seu governo, mas do povo que constitui um governo. Ela é um corpo de elementos ao qual você pode se referir e citar artigo por artigo, e que contém os princípios sobre os quais será estabelecido o governo, as maneiras como será organizado, os poderes que ele terá, os modos de eleição, a duração dos parlamentos, ou sejam quais forem os nomes que se deem a estes corpos, os poderes que a parte executiva do governo terá, e, finalmente, tudo o que está relacionado com a organização completa de um governo civil e os princípios a partir dos quais legislará e aos quais estará sujeito. Uma constituição, portanto, está para o governo como as leis feitas depois pelo governo estão para a corte de justiça. A corte de justiça não pode fazer as leis nem as pode alterar. Ela apenas age de conformidade com as leis feitas. De maneira semelhante, o governo é governado pela constituição.

Pode, então, o Sr. Burke produzir a constituição inglesa? Se ele não pode, podemos muito bem concluir que, embora ele tenha falado tanto a respeito, não existe algo como constituição, ou nunca existiu, e o povo ainda tem, portanto, uma constituição a fazer.

Suponho que o Sr. Burke não negará a posição que eu já avancei, a saber, que os governos surgem ou *do* povo ou *sobre* o povo. O governo inglês é um dos que surgiram de uma conquista, e não da sociedade, e, consequentemente, ele surgiu sobre o povo. Embora se tenha modificado muito devido às circunstâncias desde o tempo de Guilherme o Conquistador, o país ainda não se regenerou e está, portanto, sem uma constituição.

Percebo prontamente a razão por que o Sr. Burke desistiu da comparação entre as constituições inglesa e francesa, porque ele só podia perceber, quando se pôs à obra, que não existia constituição nenhuma de seu lado da questão. Seu livro é certamente volumoso suficiente para conter tudo o que ele tinha a dizer sobre este assunto e esta teria sido a melhor maneira para o povo poder julgar seus méritos. Por que ele então desistiu do único assunto sobre o qual valia a pena escrever? Seria a melhor posição que ele poderia tomar, se as vantagens estivessem do seu lado, e a pior, se elas não estivessem. O fato de ele desistir daquela posição é um sinal de que ele nem podia assumi-la nem mantê-la.

O Sr. Burke disse, num discurso no Parlamento no último inverno, que *quando a Assembleia Nacional reuniu os três estados* (o Tiers État, o Clero e a Nobreza), *a França então tinha uma boa constituição.* Entre muitos outros exemplos, este mostra que o Sr. Burke não entende o que é uma constituição. As pessoas assim reunidas não eram uma *constituição* mas uma *convenção* para fazer uma constituição.

A atual Assembleia Nacional da França é, estritamente falando, o *contrato social pessoal.* Seus membros são os delegados da nação em seu caráter *original*; as assembleias futuras serão delegadas da nação em seu caráter *organizado.* A autoridade da assembleia atual é diferente do que será a autoridade das assembleias futuras. A autoridade da atual é formar uma constituição; a autoridade das assembleias futuras será legislar de acordo com os princípios e formas prescritas na constituição. Se a experiência mostrar depois que alterações, emendas ou acréscimos são necessários, a constituição indicará o modo como estas coisas deverão ser feitas e não o deixará ao poder discricionário do futuro governo.

Um governo baseado no princípio de que governos constitucionais são estabelecidos por surgirem da sociedade não tem o direito de alterar a si próprio. Se tivesse, seria arbitrário. Ele poderia fazer de si o que lhe agradasse. Onde quer que exista um tal direito, mostra que não há constituição. O ato pelo qual o parlamento inglês autoriza a si mesmo a se reunir durante sete anos mostra que a Inglaterra não tem constituição. Ele poderia, pela mesma autoridade própria, ter estabelecido qualquer outro número maior de anos, ou por toda a vida. A proposta de lei que o atual Sr. Pitt apresentou ao Parlamento alguns anos atrás, para reformar o Parlamento, estava sobre o mesmo princípio errôneo. O direito de reformar está originariamente na nação, e o método constitucional seria através de uma convenção geral eleita para este fim. Além disso, há um paradoxo na ideia de corpos viciados se reformarem a si mesmos.

Depois destes preliminares, passo para algumas comparações. Já falei da declaração de direitos. Como quero ser tão conciso quanto possível, passarei para outras partes da constituição francesa.

A constituição francesa diz: *Todo homem que pagar imposto anual de sessenta "sous" é eleitor.* Que artigo o Sr. Burke oporá a este? Pode haver algo mais limitado, e ao mesmo tempo mais irracional, do que as qualificações dos eleitores na Inglaterra? Limitado, porque nem um em cem homens (falo sem nenhum exagero) pode votar. Irracional, porque a pessoa mais humilde que se possa imaginar, e não dispõe de muitos meios visíveis de vida honesta, é eleitor em alguns lugares, ao passo que em outros lugares o homem que paga impostos muito altos e goza de boa fama, e um fazendeiro cuja renda alcança a soma de trezentas ou quatrocentas libras por ano, com uma propriedade e fazenda de três a quatro vezes aquela quantia, não é admitido como eleitor.

Tudo está fora de proporção, como diz o Sr. Burke em outra ocasião, neste estranho caos, e todo tipo de loucura está misturado com todo tipo de crime.

Guilherme o Conquistador e seus descendentes repartiram o país desta maneira e subornaram algumas partes dele através do que eles chamaram de cartas de privilégio para manter suas outras partes melhor sujeitas à vontade deles. Esta é a razão por que são tão abundantes as cartas de privilégio na Cornualha. O povo era contrário ao governo estabelecido na conquista, e as cidades eram guarnecidas e subornadas para escravizar o país. Todas as antigas cartas de privilégio são os distintivos desta conquista e daí surge o fato de serem irracionais as eleições.

A constituição francesa diz: *O número de representantes para cada lugar será em proporção ao número de habitantes que contribuem com impostos ou eleitores.*

Que artigo o Sr. Burke oporá a este? O condado de Yorkshire, que tem quase um milhão de almas, envia dois membros do condado; o mesmo faz o condado de Rutland, que não tem a centésima parte deste número. A aldeia de Old Sarum, que não tem três casas, manda dois membros; a cidade de Manchester, que tem mais de sessenta mil almas, não pode mandar nenhum. Há algum princípio nestas coisas? Há como seguir as marcas da liberdade ou descobrir as da sabedoria? Não é de admirar que o Sr. Burke tenha desistido da comparação e tenha se esforçado em desviar seus leitores do assunto pela ostentação selvagem e não sistemática de rapsódias paradoxais.

A constituição francesa diz: *A Assembleia Nacional será eleita a cada dois anos.*

Que artigo o Sr. Burke oporá a este? Pois a nação não tem direito algum neste ponto; o governo é perfeitamente arbitrário em relação a ele, e ele pode citar como autoridade o precedente de um parlamento anterior.

A constituição francesa diz: *Não haverá nenhuma lei de caça. O fazendeiro em cujas terras for encontrada caça selvagem (pois é do produto de suas terras que elas se alimentam) terá direito ao que puder pegar. Não haverá monopólios de espécie alguma: todo comércio será livre. Todo homem será livre para seguir qualquer profissão pela qual ele poderá ter uma vida honesta em qualquer lugar, aldeia ou cidade da nação.*

O que o Sr. Burke dirá a esse respeito? Na Inglaterra a caça se tornou propriedade daqueles a cujas custas ela não é alimentada. Quanto aos monopólios, o país está dividido em monopólios. Cada cidade com carta de privilégio é um monopólio aristocrático em si e a qualificação dos eleitores provém desses monopólios com carta de privilégio. Isso é liberdade? É isso que o Sr. Burke entende por constituição?

Nestes monopólios com carta de privilégio, um homem proveniente de outra parte do país é perseguido por eles como se fosse um inimigo estrangeiro. Um inglês não é livre em seu próprio país; todos naqueles lugares põem uma barreira em seu caminho e lhe dizem que ele não é um homem livre, que ele não tem direitos. Dentro destes monopólios há outros monopólios. Numa cidade, como em Bath por exemplo, com vinte a trinta mil habitantes, o direito de eleger representantes para o parlamento é monopolizado por cerca de trinta e uma pessoas. Dentro destes monopólios ainda há outros. Um homem, até da mesma cidade, cujos pais não têm condições financeiras de lhe dar uma ocupação, é excluído, em muitos casos, do direito natural de adquirir uma, seja qual for a sua capacidade e diligência.

Todas estas coisas são exemplos a serem apresentados a um país que está se regenerando da escravidão, como a França? Certamente não são, e eu estou certo de que, quando o povo da Inglaterra começar a refletir sobre eles, como a França, destruirão estes emblemas da opressão antiga, estes vestígios de uma nação conquistada. Se o Sr. Burke possuísse talentos semelhantes ao autor de *On the Wealth of Nations*, ele teria compreendido todas as partes que entram e que, em conjunto, formam a constituição. Ele teria raciocinado das minúcias para a grandeza. Não é apenas devido a seus preconceitos, mas também ao tipo desordenado de seu gênio, que ele não está apto para o assunto sobre o qual escreve. Mesmo o seu gênio não tem constituição. É um gênio a esmo, não um gênio constituído. Mas ele deve dizer algo. Por isso subiu ao ar, como um balão, para atrair o olhar da multidão que está no chão.

Há mais a aprender da constituição francesa. A conquista e a tirania se transplantaram com Guilherme o Conquistador da Normandia para a Inglaterra, e o país ainda está desfigurado por elas. Que o exemplo de toda a França contribua para regenerar a liberdade que uma província dela destruiu!

A constituição francesa diz: *Para preservar a representação nacional da corrupção, nenhum membro da Assembleia Nacional será funcionário, empregado ou pensionista do governo.*

O que o Sr. Burke dirá contra isso? Vou sussurrar a resposta dele: pães e peixes. Ah! este governo de pães e peixes tem mais maldade do que o povo jamais imaginou. A Assembleia Nacional fez a descoberta e oferece o exemplo ao mundo. Se os governos tivessem concordado em discutir, visando esfolar seus países através de impostos, não teriam tido maior sucesso do que tiveram.

Muitas coisas no governo inglês me parecem o inverso do que deveriam ser e do que dizem que é. *Supõe-se*, porém, que o Parlamento, imperfeita e caprichosamente eleito como é, *administra* o erário público da nação. Mas da maneira como está construído o Parlamento inglês, ele é como um homem que é ao mesmo tempo devedor hipotecário e credor hipotecário e, em caso de má aplicação do erário, é o criminoso se julgando a si mesmo. Se aqueles que votam os suprimentos são as mesmas pessoas que os recebem quando votam, e devem justificar a despesa destes suprimentos para aqueles que os votaram, são *eles justificando a si mesmos*, e a Comédia de Erros termina com uma Pantomima de Silêncio. Nem o partido ministerial nem a oposição tocam neste caso. O erário nacional é a cavalgadura comum que todos querem montar. É igual ao que a gente do campo chama "Ride and tie - You ride a little way, and then I" (Cavalgue e amarre. Você cavalga um trecho do caminho, depois eu). Na França estas coisas são melhor organizadas.

A constituição francesa diz: *O direito de guerra e paz está na nação.*

Em quem residiria senão naqueles que devem pagar a despesa?

Na Inglaterra se diz que este direito reside numa *metáfora* mostrada na Torre por seis pêni ou um xelim cada peça: assim são os leões; faltaria um passo para dizer que reside neles, pois qualquer metáfora inanimada não é mais do que um chapéu ou um boné. Todos podemos ver o absurdo de cultuar o bezerro fundido de Aarão ou a imagem de ouro de Nabucodonosor; mas por que os homens continuam a praticar os absurdos que eles desprezam nos outros?

Poder-se-ia com razão dizer que da maneira como a nação inglesa é representada, isso não significa onde o direito reside, seja na Coroa ou no Parlamento. A guerra é a colheita comum de todos os que participam da divisão e do gasto do dinheiro público, em todos os países. É a arte de *conquistar em casa*. Sua finalidade é um aumento da receita. Como as receitas não podem ser aumentadas sem impostos, deve ser encontrado um pretexto para as despesas. Examinando a história do governo inglês, suas guerras e seus impostos, um espectador, não cego pelo preconceito nem deturpado pelo interesse, declararia que os impostos não subiram para prosseguir com guerras, mas as guerras surgiram para criar impostos.

O Sr. Burke, como membro da Câmara dos Comuns, é parte do governo inglês. Embora ele se professe inimigo da guerra, ele ofende a constituição francesa que procura acabar com ela. Ele apresenta o governo inglês como modelo, em todos os seus aspectos, para a França. Antes porém ele devia conhecer as observações que os franceses fazem sobre ele. Eles lutam em favor deles mesmos, pois a porção de liberdade que se tem na Inglaterra é justamente suficiente para escravizar um país mais eficazmente do que pelo despotismo, e, como a finalidade real de todo despotismo é a receita, um governo assim formado obtém mais do que poderia obter através de um despotismo direto, ou em pleno estado de liberdade, e está, portanto, baseado no interesse, oposto a ambos. Eles explicam como estes governos sempre estão dispostos a entrar em guerras, notando os diferentes motivos que as causam. Nos governos despóticos as guerras são efeito do orgulho; mas naqueles governos em que elas se tornam meios de decretar impostos, elas adquirem, por isso, uma presteza mais constante.

A constituição francesa, portanto, prevenindo contra estes dois males, tirou o poder de declarar guerra dos reis e ministros e passou este direito para onde deve ocorrer a despesa.

Quando a questão do direito de guerra e paz agitava a Assembleia Nacional, o povo da Inglaterra parecia muito interessado no acontecimento e aplaudia a decisão. Como princípio ele se aplica tanto a um país como a outro. Guilherme o Conquistador, *como conquistador*, tinha em si mesmo o poder de guerra e paz, e seus descendentes desde então reclamaram isso como direito a partir dele.

Embora o Sr. Burke tenha afirmado o direito de o Parlamento na época da Revolução obrigar e controlar a Nação e a posteridade *para sempre*, ele nega ao mesmo tempo que o Parlamento ou a nação tenham qualquer direito de alterar o que ele chama de sucessão da Coroa em qualquer coisa a não ser em parte ou por uma espécie de modificação. Com base nisso, ele remete a questão para a *Conquista Normanda*, saltando através de uma linha de sucessão de Guilherme o Conquistador, ao dia presente, tornando necessário perguntar quem e o que era Guilherme o Conquistador, de onde ele veio, e investigar a origem, a história e a natureza do que ele chama de prerrogativas. Tudo deve ter tido um começo e a névoa do tempo e da antiguidade deve ser penetrada para descobri-lo. Deixemos, então, o Sr. Burke apresentar seu Guilherme da Normandia, pois é a esta origem que vai seu argumento. Infelizmente, ao percorrer esta linha de sucessão, acontece também que se apresenta outra linha paralela àquela, de modo que, se a sucessão coincide com a linha da conquista, a nação está na linha de ser conquistada e deveria se libertar desta vergonha.

Mas talvez se diga que, embora o poder de declarar guerra venha por herança da conquista, ele é contido pelo direito que tem o Parlamento de recusar os suprimentos. Quando uma coisa está errada na origem, sempre acontecerá que as emendas não a tornam certa, e geralmente acontece que causam mais dano de um lado do que bem do outro, e este é o caso aqui, pois, se um lado temerariamente declara guerra por uma questão de direito, e o outro recusa peremptoriamente os recursos por questão de direito, o remédio se torna tão ruim, ou pior, do que a doença. Um força a nação ao combate e o outro amarra as mãos dela. O resultado mais provável é que a contenda termine num conluio das partes e ambos se protejam.

Nesta questão da guerra devem ser consideradas três coisas. Primeiro, o direito de declará-la; segundo, a despesa em mantê-la; terceiro, o modo de conduzi-la depois de declarada. A constituição francesa coloca o direito lá onde recai a despesa, que só pode ser a nação. O modo de conduzi-la depois de declarada é confiado ao departamento executivo. Fosse esse o caso em todos os países, ouviríamos muito pouco sobre guerras.

Antes de passar a considerar outras partes da constituição francesa, e para aliviar a fadiga do argumento, apresentarei um fato que ocorreu com o Dr. Franklin.

Enquanto o Doutor residia na França como ministro da América durante a guerra, teve numerosas propostas feitas por planejadores de todos os países e de todas as espécies, que desejavam ir para a terra onde corria leite e mel: a América. Entre eles, houve um que se ofereceu para ser rei. Ele apresentou sua proposta ao Doutor por carta, a qual está com M. Beaumarchais, em Paris, dizendo em primeiro lugar que, como a América tinha demitido ou mandado embora seu rei, eles precisariam de outro. Em segundo lugar, ele também era normando. Terceiro, ele era de uma família mais antiga do que os duques da Normandia e de uma descendência mais respeitável, pois sua linhagem nunca fora manchada. Em quarto lugar, já havia o precedente na Inglaterra de reis provindos da Normandia, e nesta base ele apoiou sua oferta, *tendo o prazer* de o Doutor o enviar para a América. Mas como o Doutor não fez isso nem lhe mandou uma resposta, o planejador escreveu uma segunda carta na qual ele, de fato, não ameaçou ir conquistar a América, mas apenas com grande dignidade propôs que, se sua oferta não fosse aceita, poderia ser-lhe enviada uma quantia de 30.000 libras como reconhecimento por sua generosidade! Como todos os argumentos a respeito da sucessão devem necessariamente ligar aquela sucessão com algum começo, os argumentos do Sr. Burke passam a mostrar que não há nenhuma origem inglesa de reis e que eles são descendentes da linhagem normanda por força da conquista. Poderia, portanto, ser útil à doutrina dele tornar conhecida essa estória e informar que, em caso de uma extinção natural à qual toda a mortalidade está sujeita, podem-se trazer reis da Normandia, com mais argumentos do que Guilherme o Conquistador. Consequentemente, o bom povo da Inglaterra na Revolução de 1688 *teria feito muito melhor* se um normando generoso como este conhecesse as necessidades *deles* e eles tivessem conhecido as *dele!* O tipo de cavaleiro que o Sr. Burke tanto admira é mais aberto a um bom negócio do que um *duro negociante holandês.* Voltemos, porém, aos assuntos da constituição.

A constituição francesa diz: *Não haverá títulos.* Consequentemente, toda aquela classe de geração equívoca que em alguns países é chamada de *aristocracia* e em outros *nobreza* é abolida e o *peer* (par, lorde) é elevado a HOMEM.

Títulos não passam de alcunhas, e toda alcunha é um título. A coisa é perfeitamente inofensiva em si mesma, mas marca uma espécie de fracasso no caráter humano, que o degrada. Reduz o homem ao diminutivo de homem em coisas que são grandes e a falsificação da mulher em coisas que são pequenas. Fala da bela *fita azul* como uma moça e mostra a sua nova *liga* como uma criança. Um escritor, de certa antiguidade, diz: *"Quando eu era criança, eu pensava como criança; mas quando me tornei adulto, abandonei as coisas de criança".*

É devido exatamente à mentalidade elevada da França que caiu a tolice de títulos. Perdeu as roupas de bebê de *conde* e *duque* e vestiu calças de homem. A França não nivelou, enalteceu. Derrubou o anão e elevou o homem. A insignificância de palavras sem sentido como *duque* ou *conde* não agrada mais. Mesmo os que os possuíam os abandonaram, e, ao abandonar o raquitismo, desdenharam também o balbuciar de criança. A mente genuína do homem, ansiando pela terra natal, pela sociedade, despreza as coisas de criança e se separa delas. Títulos são como círculos feitos pela vara do mágico para fazer a esfera da felicidade do homem. Vive preso na Bastilha de uma palavra e observa à distância a vida invejada de homem.

É portanto de se admirar que os títulos caíssem na França? Não é mais de admirar que tenham sido conservados em outros lugares? O que são eles? Qual é o seu valor e "qual é sua importância"?

Quando pensamos ou falamos de um *juiz* ou de um *general*, associamos função e personalidade. Pensamos na seriedade de um e na bravura do outro. Mas quando usamos a palavra *apenas como um título*, nenhuma ideia é associada a ele. Em todo o vocabulário de Adão não há nenhum animal como duque ou conde. Também não podemos associar uma ideia certa às palavras. Se elas significam força ou fraqueza, sabedoria ou loucura, criança ou homem, cavaleiro ou cavalo, é tudo equívoco. Que respeito se pode ter pelo que não descreve nada e não significa nada? A imaginação deu figura e personalidade a centauros, sátiros, a uma multidão de seres míticos. Mas os títulos confundem até os poderes da fantasia, e são um fantástico quimérico.

Mas isso não é tudo. Se um país inteiro está disposto a mantê-los no desprezo, todo seu valor desaparece e ninguém os terá. É apenas a opinião comum que os torna algo ou nada, ou pior do que nada. Não é preciso tirar títulos pois eles mesmos se eliminam quando a sociedade concorda em ridicularizá-los. Esta espécie de importância imaginária declinou visivelmente em toda a Europa e corre para seu fim na medida em que o mundo da razão continua a crescer. Houve tempo em que a classe mais baixa do que hoje é chamado *nobreza* era mais considerada do que é hoje a mais alta e quando um homem numa armadura cavalgando pela cristandade em busca de aventuras era mais admirado do que um moderno duque. O mundo viu sua loucura cair, e ela caiu por ter sido ridicularizada, e a farsa dos títulos seguirá o destino dela. Os patriotas da França descobriram a tempo que posição e dignidade na sociedade devem ter uma nova base. A antiga acabou. Agora se deve tomar a base firme da personalidade, em vez da base quimérica de títulos; e trouxeram seus títulos ao altar e fizeram deles um holocausto à Razão.

Se não se tivesse acrescentado nenhum dano à loucura dos títulos, eles não teriam sido dignos de uma destruição séria e formal, como a Assembleia Nacional fez com eles por decreto. Isso torna necessário investigar melhor a natureza e o caráter da aristocracia.

O que é chamado de aristocracia em alguns países e nobreza em outros surgiu de governos fundados em conquista. Originariamente era uma ordem militar com a finalidade de apoiar um governo militar (pois tais eram todos os governos fundados em conquistas). Para manter a sucessão desta ordem para a finalidade para a qual foi estabelecida, todos os membros mais novos destas famílias foram deserdados e estabelecida a lei da *primogenitura*.

A natureza e o caráter da aristocracia nos são mostrados nesta lei. É uma lei contra toda lei da natureza, e a própria natureza exige sua destruição. Estabeleça-se a justiça familiar e a aristocracia cairá. Pela lei aristocrática da primogenitura, numa família de seis filhos, cinco são abandonados. A aristocracia nunca tem mais de um filho. O resto é gerado para ser devorado. Eles são jogados ao canibal como vítima, e o pai natural prepara a comida não natural.

Como tudo o que está fora da natureza no homem afeta, mais ou menos, o interesse da sociedade, também isso afeta. Todos os filhos que a aristocracia abandona (que são todos exceto o mais velho) são, em geral, deixados como órfãos numa paróquia para serem sustentados pelo público, mas a um custo maior. Ofícios e cargos desnecessários são criados nos governos e cortes para que o público os sustente.

Com que sentimento paterno podem o pai ou a mãe olhar para seus filhos mais novos? Por natureza eles são filhos, e por casamento são herdeiros, mas pela aristocracia são bastardos e órfãos. São carne e sangue de seus pais numa linha, e nada aparentados a eles em outra. Para restituir, portanto, os pais a seus filhos, e os filhos a seus pais – as relações de uns para com os outros e do homem para com a sociedade – e para exterminar o monstro Aristocracia – a raiz e os ramos – a constituição francesa destruiu a lei da *primogenitura*. O monstro jaz aqui. Se for do agrado do Sr. Burke, ele pode escrever o epitáfio.

Até aqui vimos a aristocracia sobretudo de um ponto de vista. Agora devemos considerá-la de outro. Mas quer a olhemos de frente ou de trás, de lado ou de qualquer outro ponto, ela ainda é um monstro.

A aristocracia na França tinha uma característica a menos do que tem em alguns outros países. Ela não formou um corpo de legisladores hereditários. Ela não era uma *"Corporação de Aristocracia"*, pois foi assim que ouvi M. de la Fayette descrever uma Câmara Inglesa dos Lordes. Examinemos, portanto, as bases sobre as quais a constituição francesa decidiu contra ter uma tal Câmara na França.

Porque, em primeiro lugar, como já foi mencionado, a aristocracia é mantida pela tirania e injustiça familiares.

Em segundo lugar, porque há uma inaptidão natural na aristocracia de ser legisladora da nação. Suas ideias de *justiça distributiva* estão corrompidas na própria fonte. Eles começam a vida pisando sobre seus irmãos e irmãs mais novos, e sobre qualquer tipo de relações, e são ensinados e educados a agir assim. Com que ideia de justiça ou de honra pode aquele homem entrar numa casa legislativa se absorve em sua própria pessoa a herança de toda uma família ou reparte aos outros filhos uma porção desprezível com a insolência de uma dádiva?

Em terceiro lugar, porque a ideia de legisladores hereditários é tão inconsistente como a de juízes hereditários ou de júris hereditários; tão absurda como um matemático hereditário ou um sábio hereditário; e tão ridícula como um poeta laureado hereditário.

Em quarto lugar, porque um grupo de homens, não sendo responsável perante ninguém, não terá a confiança de ninguém.

Em quinto lugar, porque ainda continua o princípio incivilizado de governos baseados em conquista e a ideia básica de homens com propriedade sobre homens e governando-os por direito pessoal.

Em sexto lugar, porque a aristocracia tende a degenerar a espécie humana. Pela economia universal da natureza sabe-se, e pelo exemplo dos judeus está provado, que a espécie humana tem a tendência a degenerar, em qualquer número pequeno de pessoas, quando separados da sociedade e casando-se constantemente entre si. Frustra inclusive seu fim pretendido e com o tempo se torna o oposto do que é nobre no homem. O Sr. Burke fala de nobreza; que ele mostre o que ela é. As maiores personalidades que o mundo conheceu surgiram de ambiente democrático. A aristocracia não foi capaz de acompanhar a democracia. O *nobre* artificial se torna um anão perante o nobre por natureza; e nos poucos exemplos daqueles (pois há alguns em todos os países) nos quais a natureza, como por milagre, sobreviveu na aristocracia, *aqueles homens a desdenham.* Mas está na hora de passar para um novo assunto.

A constituição francesa reformou a condição do clero. Ela elevou a renda das classes baixa e média, tirando da alta. Agora ninguém recebe menos mil e duzentas libras francesas (cinquenta libras esterlinas) nem mais do que duas ou três mil libras esterlinas. O que o Sr. Burke oporá a isso? Ouça o que ele diz:

"Que o povo da Inglaterra pode ver, sem dor nem ressentimento, um arcebispo preceder um duque; podem ver um Bispo de Durham, ou um Bispo de Winchester, recebendo dez mil libras por ano; mas não pode

ver por que este conde ou aquele escudeiro não recebe tal quantia".

E o Sr. Burke oferece isto como um exemplo para a França.

Quanto à primeira parte, se o arcebispo precede o duque ou o duque precede o arcebispo, se deve, creio eu, ao povo em geral, e é algo parecido com *Sternhold* e *Hopkins* ou *Hopkins* e *Sternhold*; você pode pôr antes quem você quiser. Confesso que não entendo o mérito deste caso e por isso não o discutirei com o Sr. Burke.

Quanto à última parte, porém, tenho algo a dizer. O Sr. Burke não apresentou o caso direito. A comparação não está correta por ter sido feita entre o bispo e o conde ou o escudeiro. Deveria ter sido feita entre o bispo e o pároco, e então seria assim:

"O povo da Inglaterra pode ver, sem dor nem ressentimento, um Bispo de Durham, ou um Bispo de Winchester, recebendo dez mil libras por ano, e um pároco cerca de trinta ou quarenta libras por ano, ou menos".

Não, senhor, eles certamente não veem estas coisas sem grande dor ou ressentimento. É um caso que se aplica ao senso de justiça de todo homem, e é um entre muitos que clama por uma constituição.

Na França a exclamação *"a Igreja! a Igreja!"* foi repetida com tanta frequência como no livro do Sr. Burke, e tão alto como na ocasião em que o *Dissenter's Bill* foi apresentado ao Parlamento inglês. Mas a maioria do clero francês não seria mais enganada por este grito. Seus membros sabiam que, qualquer que fosse o pretexto, eles eram um dos seus principais objetivos. Era o grito do clero altamente beneficiado para evitar qualquer regulamentação da renda entre os que recebiam dez mil libras por ano e os párocos. Eles, portanto, juntaram o seu caso ao de toda classe oprimida de homens, e por essa união conseguiram justiça.

A constituição francesa *aboliu o dízimo*, fonte de perpétuo descontentamento entre os dizimistas e os paroquianos. A posse de uma terra à base do dízimo supõe uma propriedade entre duas partes, uma recebendo um décimo e a outra nove décimos da produção. Consequentemente, com base nos princípios da equidade, se uma propriedade pode ser melhorada, e por essas melhorias passar a produzir o duplo ou o triplo de antes, ou em qualquer outra proporção, o custo de tal melhoria deveria ser dividido em proporção igual entre as partes que partilham a produção. Mas não é o que acontece nos dízimos; o agricultor arca com toda a despesa e o dizimeiro recebe um décimo pela melhoria, acrescido ao décimo original, recebendo assim o valor de dois décimos em vez de um. Este é outro caso que clama por uma constituição.

A constituição francesa aboliu ou renunciou à *Tolerância*, e também à *Intolerância*, e estabeleceu o DIREITO UNIVERSAL DE CONSCIÊNCIA.

Tolerância não é o *oposto* de intolerância, mas sua *falsificação*. Ambas são despotismos. Uma se arroga o direito de negar a liberdade de consciência e a outra de garanti-la. Uma é o Papa armado com fogo e lenha, a outra é o Papa vendendo ou concedendo indulgências. A primeira é Igreja e Estado, a última é Igreja e tráfico.

A tolerância porém pode ser vista numa luz mais forte. O homem não adora a si mesmo, mas a seu Artífice. E a liberdade de consciência pela qual clama não está a serviço dele mesmo mas de seu Deus. Neste caso, portanto, devemos necessariamente ter a ideia associada de dois seres: o *mortal*, que rende culto, e o *Ser Imortal*, que é cultuado. A tolerância, portanto, não se localiza entre homem e homem, nem entre Igreja e Igreja, nem entre uma denominação religiosa e outra, mas entre Deus e o homem, entre o ser que cultua e o Ser que é cultuado, e pelo mesmo ato de pretensa autoridade pelo qual tolera que o homem preste seu culto, ele suposta e blasfemamente decide tolerar que o Todo-poderoso o receba.

Se fosse feita ao Parlamento uma proposta de lei intitulada "Lei para tolerar ou dar liberdade ao Todo-poderoso de receber culto de um judeu ou um turco" ou "para proibir o Todo-poderoso de aceitá-lo", todos os homens se espantariam e a chamariam de blasfêmia. Haveria tumulto. A pressuposição de tolerância em assuntos religiosos se apresentaria então claramente, mas a suposição não é menor porque o nome de "Homem" apenas aparece nestas leis porque a ideia associada de adorado e adorador não podem ser separadas. Quem é você, portanto, mero pó e cinza, seja qual for o nome pelo qual seja chamado, seja rei, bispo. Igreja ou Estado, Parlamento ou qualquer outra coisa, que coloca sua insignificância entre a alma do homem e seu Artífice? Preocupe-se com as suas coisas. Se ele não acreditar como você acredita, é uma prova de que você não acredita o que ele acredita, e não há nenhum poder terreno que possa decidir entre vocês.

Em relação às chamadas denominações religiosas, se cada uma pode julgar a respeito de sua própria religião, não há religião errada; mas se for para julgarem sobre a religião dos outros, não existe religião verdadeira; e, portanto, todo mundo está certo, ou todo mundo está errado. Mas, em relação à própria religião, sem consideração a nomes, e dirigindo-se da família universal ou da humanidade para o objeto divino de toda adoração, *trata-se de o homem levar a seu Artífice os frutos de seu co-*

ração, e todos estes frutos podem ser diferentes dos outros como os frutos da terra, o tributo agradável de cada um é aceito.

O bispo de Durham ou o bispo de Winchester ou o arcebispo que precede os duques não recusará um molho de trigo de dízimo porque ele não é um monte de feno, nem um monte de feno porque ele não é um molho de trigo; nem um porco, porque ele não é nem um nem outro; mas estas mesmas pessoas, sob a figura de uma Igreja nacional, não permitirão que seu Artífice receba os diversos dízimos da devoção do homem.

Um dos estribilhos contínuos do livro do Sr. Burke é "Igreja e Estado". Ele não especifica nenhuma Igreja ou algum Estado em particular, e usa o termo de maneira geral para falar da doutrina política de unir sempre Igreja com Estado em todos os países, e censura a Assembleia Nacional por não ter feito isso na França. Pensemos um pouco sobre este assunto.

Todas as religiões são por natureza bondosas e benignas, e ligadas a princípios de moral. Elas podem não ter feito prosélitos no início professando algo vicioso, cruel, opressor ou imoral. Como tudo o mais, tiveram seu começo. Começaram por persuasão, exortação e exemplo. Como foi então que perderam sua brandura natural e se tomaram ásperas e intolerantes?

Isso provém da ligação que o Sr. Burke recomenda. Dando origem à Igreja com o Estado, gerou-se uma espécie de mula, capaz apenas de destruir, e não de procriar, a chamada *A Igreja estabelecida por lei.* Ela é estranha, desde o nascimento, a qualquer mãe que a tenha gerado e a quem a seu tempo escoiceia e destrói.

A Inquisição na Espanha não procede da religião originalmente professada mas desta mula gerada entre a Igreja e o Estado. As fogueiras em Smithfield nasceram do mesmo procedimento heterogêneo; e foi a regeneração deste estranho animal na Inglaterra que renovou posteriormente o rancor e a irreligião entre os habitantes e levou as pessoas chamadas Quacres e Dissidentes para a América. Perseguição não é uma característica original em *nenhuma* religião, mas é sempre a característica mais marcante de todas as religiões legais, ou religiões estabelecidas pela lei. Tirando o estatuto legal, toda religião retoma sua benignidade original. Na América um padre católico é um bom cidadão, uma boa pessoa e um bom vizinho; um ministro episcopal também pode ser descrito assim; e isto provém, independentemente dos homens, do fato de não haver nenhum estatuto legal na América.

Se considerarmos este assunto do ponto de vista temporal, veremos os efeitos ruins que teve para a prosperidade das nações. A união entre Igreja e Estado empobreceu a Espanha. A anulação do Edito de Nantes levou a manufatura da seda da França para a Inglaterra; agora Igreja e Estado estão desviando a manufatura de algodão da Inglaterra para a América e França. Continue, portanto, o Sr. Burke a pregar sua doutrina antipolítica de Igreja e Estado. Fará algum bem. A Assembleia Nacional não seguirá seu conselho mas se beneficiará com sua loucura. Foi observando seus maus efeitos na Inglaterra que a América se preveniu contra isso; e foi experimentando-os na França que a Assembleia Nacional o aboliu e, como a América, estabeleceu o Direito Universal de Consciência e o Direito Universal de Cidadania.

Terminarei aqui com a comparação relacionada com os princípios da constituição francesa e concluirei esta parte do assunto com algumas observações sobre a organização das partes formais dos governos francês e inglês.

O poder executivo em cada país está nas mãos de uma pessoa chamada rei. Mas a constituição francesa distingue entre o rei e o soberano. Ela considera a posição de rei como oficial mas coloca a soberania na nação.

Os representantes da nação que compõem a Assembleia Nacional e são o poder legislativo têm origem no povo e do povo por eleição como um direito inerente ao povo. Na Inglaterra é diferente: ele surge do estatuto original do que foi chamado sua monarquia, pois como pela Conquista todos os direitos do povo ou da nação foram absorvidos nas mãos do Conquistador, o qual acrescentou o título de rei ao de conquistador, as mesmas questões que na França são agora consideradas direitos do povo, ou da nação, na Inglaterra são consideradas privilégios daquilo que é chamado Coroa. O Parlamento na Inglaterra, em seus dois ramos, foi erigido por privilégios exclusivos a partir dos descendentes do Conquistador. A Câmara dos Comuns não se originou, como um direito, no povo para delegar ou eleger, mas como uma concessão ou um presente.

A nação é sempre citada pela constituição francesa antes do rei. O terceiro artigo da Declaração dos Direitos diz: "*A nação é essencialmente a fonte de toda a soberania*". O Sr. Burke argumenta que na Inglaterra o rei é a fonte: ele é a fonte de toda honra. Mas como esta ideia provém evidentemente da Conquista, não farei nenhuma outra observação sobre ela a não ser que é da natureza da conquista virar tudo do avesso. E como não será negado ao Sr. Burke o privilégio de falar uma segunda vez, e como só há duas partes na figura, a *fonte* e o *cano d'água*, ele estará certo novamente.

A constituição francesa coloca o legislativo antes do executivo, a lei antes do rei:

la Loi, le Roi. Esta é também a ordem natural das coisas, pois as leis devem ter existência antes de entrarem em execução.

Um rei na França, ao se dirigir à Assembleia Nacional, não diz "minha assembleia", semelhante à frase usada na Inglaterra: "*meu* Parlamento"; nem a pode usar com base na constituição, nem isso poderia ser admitido. Pode ser conveniente o seu uso na Inglaterra porque, como foi mencionado antes, as duas Casas do Parlamento se originaram no que é chamado de Coroa por concessão ou presente, e não no direito inerente ao povo, como a Assembleia Nacional na França, cujo nome designa sua origem.

O presidente da Assembleia Nacional não pede ao rei que *conceda à Assembleia liberdade de uso da palavra*, como é o caso da Câmara dos Comuns. A dignidade constitucional da Assembleia Nacional não pode se rebaixar. Falar é, em primeiro lugar, um dos direitos naturais do homem que ele sempre tem. Para a Assembleia Nacional o uso dele é *dever* dela e a nação é sua *autoridade.* A assembleia foi eleita pelo maior grupo de homens em exercício do direito de eleição que o mundo europeu jamais viu. Eles não surgiram da imundície de burgos podres[2] nem são representantes vassalos de aristocratas. Com sentimento da dignidade própria de seu papel, eles o sustentam. Sua linguagem parlamentar, seja a favor ou contra a questão, é livre, corajosa e viril, e se estende a todas as partes e condições do caso. Se algum assunto relacionado com o departamento executivo ou com a pessoa que o preside (o rei) lhes é apresentado, debatem-no com o espírito de homens e linguagem de gentis-homens; as respostas ou discursos seguem o mesmo estilo. Eles não se mantêm afasta-

2 *Burgo podre:* Burgo inglês cujos eleitores vendiam facilmente os seus votos ao candidato do Parlamento.

dos na estupidez e vacuidade da ignorância vulgar, nem se curvam à insignificância da bajulação. O orgulho gracioso da verdade não conhece extremos e preserva, em qualquer atitude excessiva da vida, o caráter reto do homem.

Consideremos agora o outro lado da questão. Nos discursos dos parlamentos ingleses a seus reis não vemos nem o espírito intrépido dos antigos parlamentos da França nem a serena dignidade da atual Assembleia Nacional, nem vemos neles nada da maneira inglesa de tratar, raiando à grosseria. Uma vez que não têm origem estrangeira nem são naturalmente ingleses, sua origem deve ser procurada em outro lugar, e sua origem é a conquista normanda. Eles são evidentemente costumes de vassalagem e marcam enfaticamente a distância que não existe em nenhuma outra condição humana a não ser entre o conquistador e o conquistado. Esta ideia de vassalagem e estilo de falar não se libertara sequer na Revolução de 1688, o que é evidente na declaração do Parlamento a Guilherme e Maria nestas palavras: "Nós humilde e fielmente nos *submetemos*, nós, nossos herdeiros e posteridade, para sempre". A submissão é totalmente um termo de vassalagem, repugnante à dignidade da liberdade, um eco da linguagem usada na Conquista.

Como todas as coisas são avaliadas por comparação, a Revolução de 1688, embora devido a circunstâncias ela possa ter sido exaltada além de seu valor, encontrará seu nível. Ela já está em fase minguante, eclipsada pelo orbe da razão que se amplia e as revoluções iluminadoras da América e da França. Em menos de mais um século ela irá, como todas as obras do Sr. Burke, "para o sepulcro familiar de todos os Capuletos". A humanidade dificilmente acreditará que um país que se diz livre tenha enviado alguém para a Holanda em busca de um homem e o revestido de poder a fim de ficar com medo dele e lhe dar quase um milhão de libras esterlinas por ano para *submetê-los*, a eles e a sua posteridade, como escravos e escravas, para sempre.

Mas há uma verdade que deve tornar-se conhecida: eu tive a oportunidade de ver. É o seguinte: *apesar das aparências, não há nenhum outro grupo de homens que despreza a monarquia tanto quanto os cortesãos.* Mas eles sabem muito bem que, se isto fosse visto pelos outros como é visto por eles, a prestidigitação não poderia ser mantida. Eles estão na posição de homens que vivem de representar e para quem a loucura deste espetáculo é tão familiar que eles o ridicularizam, mas, se os assistentes soubessem disto do mesmo modo que eles, acabaria o espetáculo e o proveito dele. A diferença entre um republicano e um cortesão em relação à monarquia é que o primeiro se opõe à monarquia, crendo que ela seja algo, e o outro ri dela, sabendo que ela não é nada.

Como às vezes eu me correspondia com o Sr. Burke, pensando que ele fosse um homem de princípios mais sadios do que mostra seu livro, no último inverno eu lhe escrevi uma carta de Paris e lhe relatei como as coisas estavam indo bem. Eu referi a feliz situação em que estava a Assembleia Nacional; eles tinham assumido uma posição em que seu dever moral e seu interesse político estavam unidos. Não precisavam mostrar uma linguagem em que eles mesmos não acreditavam, com o propósito fraudulento de fazer os outros acreditarem nela. Sua posição não precisa de nenhum artifício para ser sustentada e só pode ser mantida por uma humanidade instruída. Não é interesse deles alimentar a ignorância mas dissipá-la. Eles não estão no caso de um partido ministerial ou de oposição na Inglaterra que, embora sejam opostos, continuam unidos para manter a posição comum. A Assembleia Nacional deve ser iluminadora. Ela deve mostrar o caráter próprio de um homem e quanto mais ela conseguir isso, mais forte a Assembleia Nacional se torna.

Ao considerar a constituição francesa, vemos nela uma ordem racional de coisas. Os princípios estão em harmonia com as formas e ambos com sua origem. Talvez possa ser dito, como desculpa para as más formas, que elas não são nada mais do que formas; mas isso é um erro. As formas nascem de princípios e atuam para continuar os princípios dos quais provêm. É impossível aplicar uma má forma a alguma coisa a não ser a um mau princípio. Não pode ser enxertada num bom. E sempre que num governo as formas forem más, é um sinal certo de que os princípios também são maus.

Finalmente encerrarei este assunto. Devo começar lembrando que o Sr. Burke *voluntariamente* desistiu da comparação das constituições inglesa e francesa. Ele se desculpa de não fazê-lo dizendo que não teve tempo. O livro do Sr. Burke levou mais de oito meses para ser escrito e se tornou um volume de trezentas e sessenta e seis páginas. Como sua omissão não prejudica sua causa, sua desculpa a torna pior. O ingleses começarão a pensar se não há algum defeito radical no que ele chama de constituição inglesa, que tornou necessário que o Sr. Burke suprimisse a comparação, para evitar trazê-la à luz.

Assim como o Sr. Burke não escreveu sobre constituições também não escreveu sobre a Revolução Francesa. Não fala de seu começo ou de sua evolução. Ele apenas expressa seu espanto. "Parece-me", diz ele, "que eu estava numa grande crise, não apenas dos assuntos da França mas de toda a Europa, talvez mais do que da Europa. Considerando tudo em conjunto, a Revolução Francesa é a mais surpreendente que até agora aconteceu no mundo".

Como homens sábios se admiram de coisas tolas, e outras pessoas das sábias, não sei a que atribuir o espanto do Sr. Burke, mas é certo que ele não entende a Revolução Francesa. Ela aparentemente irrompeu como uma criação do caos, mas também não é consequência de uma revolução mental anteriormente existente na França. A mente da nação já mudara antes, e a nova ordem das coisas seguira naturalmente a nova ordem de pensamentos. Esboçarei agora, tão concisamente quanto possível, o crescimento da Revolução Francesa e assinalarei as circunstâncias que contribuíram para causá-la.

O despotismo de Luís XIV, unido ao esplendor de sua corte, e a ostentação berrante de sua personalidade abateram e ao mesmo tempo fascinaram tanto a mente da França, que as pessoas pareciam ter perdido todo o senso de sua própria dignidade ao contemplar a do seu Grande Monarca; e o reinado de Luís XV, notável apenas pela fraqueza e efeminação, não alterou em nada senão em expandir uma espécie de letargia sobre a nação, da qual ela não parecia estar disposta a sair.

Os únicos sinais do espírito de liberdade que apareceram durante estes períodos só podem ser encontrados nos escritos dos filósofos franceses. Montesquieu, presidente do parlamento de Bordeaux, foi tão longe como um escritor num governo despótico poderia ir. Sendo obrigado a se dividir entre princípio e prudência, seu pensamento muitas vezes aparece velado e nós lhe devemos creditar mais do que ele expressou.

Voltaire, que era ao mesmo tempo um adulador e um satírico do despotismo, tomou outro rumo. Seu ponto forte está em expor e ridicularizar as superstições que o embuste religioso, unido à política do Estado, tinha introduzido nos governos. Não foi devido à pureza de seus princípios ou seu amor pela humanidade (pois sátira e filantropia não são naturalmente concordantes), mas devido à sua grande capacidade de ver a loucura em sua verdadeira forma, e à sua irresistível tendência a expô-la, que ele fez estes ataques. Eles são, porém, tão tremendos como se os motivos fossem virtuosos. Ele merece mais o agradecimento do que a estima da humanidade.

Ao contrário, nos escritos de Rousseau e de Abbé Raynal encontramos uma beleza de sentimento pela liberdade que excita respeito e eleva as faculdades humanas. Mas, tendo feito surgir este movimento, eles não orientam sobre como agir e deixam a mente amando um objeto sem descrever os meios de possuí-lo.

Os escritos de Quesnay, Turgot e dos amigos destes autores, são sérios. Eles os elaboraram na mesma desvantagem que Montesquieu. Em seus escritos são abundantes as máximas do governo mas são dirigidas mais à economia e reforma da administração do governo do que ao próprio governo.

Todos estes escritos, porém, e muitos outros tiveram seu peso. Pela maneira diferente com que trataram do assunto do governo – Montesquieu com seu julgamento e conhecimento de leis, Voltaire com sua agudeza, Rousseau e Raynal com sua animação, Quesnay e Turgot com suas máximas morais e seus sistemas de economia – os leitores de qualquer classe encontram algo para seu gosto, e começou a se difundir um espírito de busca política através da nação no tempo em que começou a disputa entre a Inglaterra e as colônias da América.

Na guerra em que a França depois se engajou, sabe-se muito bem que a nação se antecipou ao ministério francês. Cada um deles tinha seu modo de ver, mas estas visões eram dirigidas a objetos diferentes. O primeiro buscava liberdade, o outro retaliação contra a Inglaterra. Os oficiais e soldados franceses, que depois foram para a América, foram colocados na escola da Liberdade, e aprenderam de cor tanto sua prática como seus princípios.

Como era impossível separar os eventos militares que ocorreram na América dos princípios da Revolução Americana, a publicação destes acontecimentos na França ligou-os necessariamente aos princípios que os produziram. Muitos dos fatos eram em si mesmos princípios, como por exemplo a Declaração da Independência da América e o tratado de aliança entre França e América que reconheceu o direito natural do homem e justificou a resistência à opressão. O então Ministro da França, Conde Vergennes, não era amigo da América. É questão de justiça e gratidão dizer que foi a rainha da França que tornou a causa americana moda na corte francesa. O Conde Vergennes era amigo pessoal e social do Dr. Franklin e o Doutor conseguira, com sua elegância, uma influência sobre ele. Mas, quanto aos princípios, o Conde Vergennes era um déspota.

A situação do Dr. Franklin, como Ministro da América na França, deve ser considerada no âmbito dos acontecimentos. A função de diplomata é a esfera mais estreita da sociedade em que um homem pode atuar. Ela impede o relacionamento devido à reciprocidade de suspeita. Um diplomata é uma espécie de átomo não ligado, continuamente repelindo e repelido. Mas este não era o caso com o Dr. Franklin. Ele não era o diplomata de uma Corte mas do Homem. Sua posição como filósofo há muito tempo fora estabelecida e seu círculo social na França era universal. O Conde Vergennes durante um tempo considerável se opôs à publicação na França das constituições americanas, traduzidas para o francês, mas nisso também ele foi obrigado a ceder à opinião pública e acabar concordando que aparecesse o que ele procurara impedir. As constituições americanas estavam para a Liberdade assim como a gramática está para a linguagem: elas definem as partes do discurso e as constroem na sintaxe. A situação peculiar do então Marquês de la Fayette é outro elo na grande corrente. Ele serviu na América como oficial americano autorizado pelo Congresso e, devido à universalidade de seu relacionamento, era muito amigo do governo civil da América como também dos militares. Ele falava a língua do país, participou da discussão dos princípios do governo e era sempre um amigo bem-vindo em qualquer eleição.

Quando a guerra terminou, um grande reforço para a causa da Liberdade se espalhou por toda a França com a volta dos oficiais e soldados franceses. O conhecimento da prática juntou-se à teoria e tudo o que faltava para lhe dar existência real era oportunidade. O homem não pode, propriamente falando, criar as circunstâncias para seu propósito, mas está sempre em seu poder aproveitá-las quando elas ocorrem, e este foi o caso na França.

M. Neckar foi destituído em maio de 1781. Devido à má administração das finanças depois disso, particularmente durante a administração esbanjadora de M. Calonne, a receita da França, que era cerca de 24 milhões de libras esterlinas por ano, ficou desequilibrada em relação à despesa, não porque a receita tivesse diminuído mas porque a despesa aumentou; e esta foi a ocasião que a nação aproveitou para levar avante a revolução. O ministro inglês, Sr. Pitt, aludiu frequentemente à situação das finanças francesas em seus orçamentos sem entender a questão. Se os parlamentos franceses fossem tão rápidos em registrar decretos para novos impostos como é o Parlamento inglês em concedê-los, não teria havido nenhum transtorno nas finanças, nem mesmo qualquer revolução. Mas isso será melhor explicado na medida em que eu prosseguir. Será necessário mostrar aqui como os impostos surgiam antigamente na França. O rei, ou melhor, a Corte ou o Ministro agindo sob este nome, forjava os decretos de impostos de acordo com a própria vontade e os enviava aos Parlamentos para serem registrados, pois, enquanto não fossem registrados pelos Parlamentos, não entravam em vigor. Sempre havia discussão entre a Corte e os Parlamentos a respeito do alcance da autoridade dos Parlamentos neste assunto. A Corte insistia que a autoridade dos Parlamentos não ia além de apresentar razões contra o imposto, reservando para si o direito de determinar se as razões eram bem ou mal fundadas e, consequentemente, se retirava o decreto espontaneamente ou se *mandava* registrá-lo autoritativamente. Os Parlamentos por sua vez insistiam que eles não tinham apenas o direito de argumentar contra, e sim de rejeitar, e nisso eles eram sempre apoiados pela nação. Voltando à ordem de minha narração, M. Calonne precisava de dinheiro. Como ele soubesse da posição firme dos Parlamentos em relação a novos impostos, engenhosamente procurou se aproximar deles com modos mais gentis do que a autoridade direta e passar por cima deles através de manobra. Com esta finalidade ele renovou o projeto de reunir um grupo de diversas províncias, do tipo de uma "Assembleia de Notáveis", que se reuniu em 1787, que deveriam recomendar os impostos aos Parlamentos, ou eles mesmos atuarem como um Parlamento. Uma assembleia com este nome fora convocada em 1617.

Como consideramos isto o primeiro passo prático em direção à revolução, será bom entrar em alguns detalhes. Em alguns lugares a Assembleia dos Notáveis foi erroneamente confundida com os Estados Gerais, mas era totalmente diferente, sendo os Estados Gerais sempre eleitos. As pessoas que compunham a Assembleia dos Notáveis foram todas nomeadas pelo rei e eram cento e quarenta membros. Mas como M. Calonne não podia contar com a maioria desta assembleia em seu favor, engenhosamente a organizou de tal maneira que quarenta e quatro eram a maioria em cento e quarenta. Para conseguir isso ele os dividiu em sete comissões separadas, cada uma com vinte membros. Cada questão geral seria decidida não pela maioria das pessoas, mas pela maioria das comissões. Onze votos eram a maioria numa comissão, e quatro comissões a maioria em sete. Por isso M. Calonne tinha um bom motivo para concluir que, como quarenta e quatro poderiam decidir qualquer questão geral, ele não seria vencido em número de votos. O então Marquês de la Fayette foi colocado na segunda comissão, da qual o Conde d'Artois era presidente, e, como o assunto eram as questões financeiras, naturalmente surgiram todas as circunstâncias ligadas a isso. M. de la Fayette acusou verbalmente Calonne de ter vendido terras da Coroa pela soma de dois milhões de libras francesas de uma maneira que parecia ser desconhecida do rei. O Conde d'Artois (para intimidar, pois a Bastilha ainda existia) perguntou ao Marquês se ele faria a acusação por escrito. Ele respondeu que faria. O Conde d'Artois não o exigiu mas enviou uma mensagem ao rei neste teor. O Marquês de la Fayette então entregou sua acusação por escrito para ser entregue ao rei, comprometendo-se a sustentá-la. Nada mais se fez a respeito deste assunto, mas M. Calonne foi logo destituído pelo rei e mandado para a Inglaterra.

Como o M. de la Fayette, pela experiência do que tinha visto na América, estava mais habituado à ciência do governo civil do que a maioria dos membros que compunham a Assembleia dos Notáveis poderia então estar, o peso do assunto recaía consideravelmente sobre ele. O plano dos que tinham uma constituição em vista era lutar contra a Corte a respeito dos impostos e alguns deles reconheciam isso abertamente. Frequentemente surgiam discussões entre o Conde d'Artois e M. de la Fayette a respeito de vários assuntos. Em relação às dívidas já contraídas, o último propôs como solução adaptar os gastos à receita em vez de a receita aos gastos, e como pontos de reforma ele propôs abolir a Bastilha e todas as prisões estatais através do país (cuja conservação acarretava grandes gastos) e suprimir as *lettres de cachet* (carta com selo oficial, geralmente autorizando a prisão sem julgamento); mas então não se dava muita atenção a estes assuntos e, a respeito das *lettres de cachet, a maioria dos nobres parecia estar a favor delas.*

Quanto a suprir o Tesouro com novos impostos, a Assembleia se recusava a assumir a responsabilidade, concordando em que não tinha autoridade para isso. Num debate sobre esta questão M. de la Fayette disse que conseguir mais dinheiro com impostos só podia ser feito por uma Assembleia Nacional, livremente eleita pelo povo e atuando como representante dele. "O senhor quer dizer, falou o Conde d'Artois, os *Estado Gerais?*" O M. de la Fayette disse que sim. "O senhor assinará, disse o Conde d'Artois, o que disse para ser entregue ao rei?" O outro respondeu que não apenas faria isso, mas iria além, dizendo que a maneira eficaz seria o rei concordar com o estabelecimento de uma constituição.

Como um dos planos tinha falhado, o de fazer a Assembleia atuar como um Parlamento, surgiu o outro, o de recomendar. Quanto a isso a Assembleia concordou em recomendar dois novos impostos para serem registrados pelos Parlamentos: o primeiro era um imposto do selo, o outro um imposto territorial. Os dois tinham sido calculados em cerca de cinco milhões de libras esterlinas por ano. Devemos agora dirigir nossa atenção para os Parlamentos, para os quais a questão era novamente transferida.

O Arcebispo de Tolosa (antes Arcebispo de Sens e agora Cardeal) foi indicado para a administração das finanças logo após a destituição de Calonne. Ele se tornou também Primeiro-Ministro, um cargo que nem sempre existiu na França. Quando não existia este cargo, os chefes dos principais departamentos tratavam os negócios diretamente com o rei mas, quando foi nomeado um primeiro-ministro, eles tratavam os negócios apenas com ele. O Arcebispo alcançou uma autoridade de Estado maior do que a de qualquer ministro desde o Duque de Choiseul, e a nação estava firmemente do seu lado. Mas, num comportamento dificilmente explicável, usou perversamente as oportunidades de fazer o bem, tornou-se um déspota, afundando na desgraça, e se fez Cardeal.

Tendo sido dissolvida a Assembleia dos Notáveis, o novo ministro mandou os dois decretos de impostos recomendados pela Assembleia para os Parlamentos a fim de serem registrados. Naturalmente eles primeiro chegaram ao Parlamento de Paris, o qual deu a seguinte resposta: *com a receita mantida pela nação, a palavra impostos não deveria ser mencionada senão para serem reduzidos*, e rejeitou os dois decretos.

Diante desta recusa o Parlamento foi mandado para Versalhes onde, na forma costumeira, o rei convocava o que no antigo governo era chamado de Leito de Justiça, e os dois decretos foram registrados na presença do Parlamento por uma ordem do Estado.

Depois disso o Parlamento voltou imediatamente a Paris, reuniu-se em sessão na forma da lei e ordenou que o registro fosse cancelado, declarando que tudo o que fora feito em Versalhes era ilegal. Todos os membros do Parlamento receberam então *Lettres de Cachet* e foram exilados em Trois; mas, como eles continuassem tão inflexíveis no exílio como antes, e como uma vingança não substituiria os impostos, pouco tempo depois foram chamados de volta a Paris.

Os decretos foram novamente apresentados a eles e o Conde d'Artois encarregado de representar o rei. Para isso ele veio de Versalhes a Paris, numa procissão organizada. O Parlamento estava reunido para recebê-lo. Mas espetáculo e parada tinham perdido a influência na França; quaisquer que fossem as ideias de importância com as quais tinha partido, ele regressou com as de desgosto e desapontamento. Ao descer de sua carruagem para subir os degraus da casa do Parlamento, a multidão (que estava reunida em grande número) proferiu expressões vulgares dizendo: "Este é Monsieur d'Artois, que quer mais dinheiro nosso para gastar". A desaprovação clara que ele viu lhe causou apreensão e a ordem *Aux armes!* (às armas) foi dada pelo oficial da guarda, que o atendeu. Ela foi gritada tão alto que ecoou pelos corredores da casa e provocou uma confusão momentânea. Eu estava então numa sala pela qual ele tinha que passar e não pude deixar de refletir sobre como é infeliz a situação de um homem desrespeitado.

Ele tentou impressionar o Parlamento com belas palavras e começou seu discurso dizendo: "O rei, nosso senhor e mestre". O Parlamento o recebeu muito friamente e com sua determinação costumeira de não registrar os impostos. E dessa maneira terminou a entrevista.

Depois disso surgiu uma nova questão. Nos vários debates e discussões que surgiram entre a Corte e os Parlamentos a respeito dos impostos, o Parlamento de Paris finalmente declarou que, embora fosse comum que os Parlamentos registrassem decretos de impostos devido à conveniência, o direito pertencia apenas aos Estados Gerais e, portanto, o Parlamento não devia continuar a debater o que não tinha autoridade para legislar. Depois disso o rei foi a Paris e teve um encontro com o Parlamento, que durou desde dez da manhã até quase seis da tarde e, de maneira que parecia iniciativa dele, como se não houvesse consultado o Gabinete ou o Ministério, deu sua palavra ao Parlamento de que os Estados Gerais seriam convocados.

Mas depois disto surgiu outra questão, com origem diferente de todas as anteriores. O Ministro e o Gabinete eram contrários à convocação dos Estados Gerais. Eles sabiam muito bem que, se os Estados Gerais se reunissem, eles próprios deveriam cair. E como o rei não tivesse mencionado *nenhum tempo*, eles elaboraram um plano destinado a evitar o problema sem aparentar oposição.

Para esta finalidade, a própria Corte começou a fazer uma espécie de constituição. Foi principalmente obra de M. Lamoignon, chanceler-mor do reino, que mais tarde se suicidou com um tiro. Este novo arranjo consistia em estabelecer um organismo com o nome de *Cour Plénière* (Corte Plenária) investida de todos os poderes que o governo tinha oportunidade de usar. As pessoas que comporiam esta Corte seriam nomeadas pelo rei. O discutido direito de criar impostos foi entregue pelo rei e um novo código criminal de leis e procedimentos legais substituiu os anteriores. A coisa, em muitos pontos, continha princípios melhores do que aqueles que até então haviam servido para a administração do governo. Quanto à *Cour Plénière*, porém, não era mais do que um meio pelo qual deveria passar o despotismo sem parecer estar ele mesmo diretamente agindo.

O Gabinete tinha grandes esperanças com este novo dispositivo. As pessoas que comporiam a *Cour Plénière* já estavam nomeadas. Como fosse necessário dar uma boa impressão, muitas das melhores personalidades na nação foram indicadas neste número. Era para começar no dia 8 de maio de 1788. Mas surgiu uma oposição a ela em dois campos: um em relação ao princípio e outro em relação à forma.

Com base no princípio, argumentou-se que o governo não tem o direito de introduzir alterações em si mesmo, que se a prática fosse admitida uma vez se tornaria um princípio e seria um precedente para quaisquer futuras alterações que o governo quisesse fazer, que o direito de alterar o governo era um direito nacional e não um direito do governo. Quanto à forma, argumentou-se que a *Cour Plénière* não era nada mais do que um Gabinete ampliado.

O então Duque de la Rochefoucault, Luxembourg, De Noailles, e muitos outros, se recusaram a aceitar a nomeação e se opuseram energicamente ao plano todo. Quando o decreto para criar esta nova Corte foi enviado aos Parlamentos, para ser registrado e posto em execução, eles resistiram também. O Parlamento de Paris não apenas rejeitou, como negou a decisão, e renovou-se a contenda entre o Parlamento e o Gabinete de modo mais forte do que nunca. Enquanto o Parlamento estava em sessão debatendo este assunto, o Ministro ordenou que um regimento de soldados cercasse a Câmara e a isolasse. Os membros mandaram buscar leitos e provisões e viviam como numa fortaleza sitiada. Como isso não surtisse efeito, o oficial comandante recebeu ordem de invadir o Parlamento e prender seus membros, o que ele fez, e alguns dos membros principais foram encerrados em diferentes prisões. Quase ao mesmo tempo chegou uma delegação de pessoas da província da Bretanha para protestar contra a criação da Corte Plenária, os quais o Arcebispo mandou para a Bastilha. Mas o espírito da nação não seria vencido e prezava muito o terreno que tinha tomado, o de recusar os impostos, que lutava consigo mesmo em manter uma espécie de resistência sossegada, que de fato derrotou todos os planos então feitos contra ele. Teve-se que desistir enfim do projeto da *Cour Plénière*, e o Primeiro-Ministro não demorou muito a seguir o seu destino e M. Neckar foi reconduzido ao cargo.

A tentativa de estabelecer a *Cour Plénière* teve um efeito sobre a nação que ela mesma não percebeu. Era uma espécie de nova forma de governo que insensivelmente servia para tirar de cena o antigo governo e livrá-lo das autoridades supersticiosas da antiguidade. Era governo destronando governo; e o antigo, ao tentar fazer um novo, fez um abismo.

A falha deste plano renovou a questão da convocação dos Estados Gerais, o que deu origem a uma nova série de atos políticos.

Não havia nenhuma forma estabelecida de convocar os Estados Gerais. Tudo o que havia é que eram uma delegação do que se chamava Clero, Nobreza e Comuns. Mas o número deles ou a proporção nem sempre foi a mesma. Eles tinham sido convocados apenas em ocasiões extraordinárias, tendo sido a última em 1614. O número deles foi então proporcionalmente igual e eles votaram pela ordem.

Não escaparia facilmente à sagacidade de M. Neckar que o modo de 1614 não corresponderia ao propósito do governo de então nem ao da nação. Na situação em que as coisas se encontravam havia muita disputa para se chegar a acordo sobre qualquer coisa. Teriam sido infindáveis os debates sobre privilégios e isenções, não sendo atendidas nem as necessidades do governo nem os desejos da nação de uma constituição. Mas como ele preferiu não decidir por si mesmo, convocou a Assembleia dos notáveis e os consultou. De modo geral este organismo estava interessado na decisão, pois eram sobretudo da aristocracia e do clero bem pago, e decidiram a favor do modo de 1614. Esta decisão ia contra o sentimento da nação e também contra os desejos da Corte. A aristocracia se opunha a ambas e lutava por privilégios independentes de cada uma delas. O Parlamento então se encarregou do assunto e recomendou que o número dos Comuns fosse igual ao dos outros dois, que eles tivessem assento na Câmara e votassem como um todo. Determinou-se finalmente o número de 1.200; 600 seriam escolhidos pelos Comuns (e isto é menos do que deveria ser sua proporção, considerando seu valor e importância em escala nacional), 300 pelo clero e 300 pela aristocracia; mas com relação à maneira de se reunirem em assembleia, juntos ou separados, ou à maneira de votarem, ficou por ser decidido.

A eleição que se seguiu não foi uma eleição contestada e sim animada. Os candidatos não eram homens mas princípios. Formaram-se sociedades em Paris e criaram-se comitês de correspondência e comunicação por toda a nação a fim de esclarecer o povo e lhe explicar os princípios do governo civil. A eleição foi conduzida tão ordenadamente que nem deu motivo para surgir boato ou tumulto.

Os Estados Gerais deveriam se reunir em Versalhes no mês de abril de 1789, mas até maio não se haviam reunido. Eles se colocaram em três câmaras separadas, ou melhor, o clero e a aristocracia se retiraram cada um para uma câmara separada.

A maioria da aristocracia reclamava o que era chamado privilégio de votar como um órgão separado e de dar o seu consentimento ou sua negativa desta maneira; muitos dos bispos e do clero com altos benefícios reivindicavam o mesmo privilégio para seu Estado.

O *Tiers Etat* (Terceiro Estado, como era chamado então) negava qualquer conhecimento de Estados artificiais e privilégios artificiais, e sobre isto eles não estavam apenas resolutos, como um pouco arrogantes. Começaram a considerar a aristocracia como uma espécie de fungo que surge da corrupção da sociedade, que não deveria ser admitido nem como um ramo dela; e pela mostra que a aristocracia dera ao defender as *Lettres de Cachet*, e em vários outros exemplos, ficou claro que nenhuma constituição seria feita se fossem admitidos homens com qualquer papel senão o de Homens Nacionais.

Depois de muita discussão sobre este assunto, os membros do *Tiers Etat* ou Comuns (como eram então chamados) declararam a si mesmos (a partir de uma moção feita com esta finalidade pelo Abbé Sieyes) "*Os Representantes da Nação*; e que os dois Estados não poderiam ser considerados mais do que deputados de corporações e só teriam voz deliberativa em reuniões de caráter nacional, com os representantes nacionais".

Este procedimento extinguiu a forma de *États Généraux*, ou Estados Gerais, transformando-os na nova forma que agora têm: *L'Assemblée Nationale*, ou Assembleia Nacional.

Esta moção não foi feita de uma maneira precipitada. Ela foi o resultado de uma deliberação fria e de um acordo entre os representantes nacionais e os membros patrióticos das duas câmaras que se preocupavam com a loucura, o dano e a injustiça das distinções artificiais de privilégios.

Tornara-se evidente que nenhuma constituição digna deste nome surgiria a partir de outra base senão a nacional. A aristocracia até aqui tinha-se oposto ao despotismo da Corte e simulava uma linguagem de patriotismo, mas opunha-se a ela como sua rival (assim como os barões ingleses se opunham ao rei João) e agora se opunha à nação pelos mesmos motivos.

Ao levar avante esta moção, os representantes nacionais, como fora combinado, mandaram um convite às duas câmaras para se unirem a eles como nação e passarem a agir.

A maioria do clero, sobretudo os párocos, retiraram-se da câmara clerical e se juntaram à Nação, e quarenta e cinco da outra câmara também se juntaram.

Há uma espécie de história secreta neste último acontecimento, que é necessária para sua explicação. Julgou-se prudente que nem todos os membros da câmara que se intitulavam Nobres saíssem de uma vez. Por causa dessa providência, eles se retiraram aos poucos, ficando sempre alguns, tanto para discutir o caso como para observar os suspeitos.

Em pouco tempo os números aumentaram de quarenta e cinco para oitenta e logo após para um número maior, o qual, com a maioria do clero e com a totalidade dos representantes nacionais, colocaram os descontentes numa condição de minoria.

O rei, que, de modo muito diferente da classe geral que leva este nome, *é* um homem de bom coração, mostrou-se disposto a recomendar uma união das três câmaras na base assumida pela Assembleia Nacional. Mas os descontentes se esforçaram para impedir isso e visavam agora a um novo projeto.

O número deles consistia numa maioria da câmara aristocrata e numa minoria da câmara clerical, principalmente de bispos e do clero com altos benefícios. Eles estavam determinados a resolver tudo pela força ou por estratagema.

Eles não tinham nenhuma objeção à constituição, mas ela deveria ser decretada por eles e se adaptar aos seus pontos de vista e situações particulares.

Por outro lado, a nação passou a reconhecê-los apenas como cidadãos e estava determinada a impedir todas estas novas pretensões. Quanto mais a aristocracia se manifestava, mais ela era desprezada. Havia uma imbecilidade visível e uma falta de inteligência na maioria, uma espécie de *je ne sais quoi*, que, na medida em que parecia ser mais do que um cidadão, era menos do que um homem, Ela perdeu mais terreno pelo desdém do que pelo ódio. Era mais zombada como um asno do que temida como um leão. Este é o caráter geral da aristocracia, ou aquilo que se chama de nobres ou nobreza (ou *Nobility*, ou melhor: *No-ability*) em todos os países.

O plano dos descontentes consistia agora de duas coisas: deliberar e votar por câmaras (ou Estados), sobretudo as questões relacionadas com a constituição (quando a câmara aristocrática teria votado contra qualquer artigo da constituição), ou, caso não pudessem alcançar seu objetivo, derrotar a Assembleia Nacional inteiramente.

Para atingir um ou outro desses objetivos começaram agora a cultivar uma amizade com o despotismo contra o qual até aqui rivalizaram, tomando-se o Conde d'Artois o chefe deles.

O rei (que se declarou enganado pelas medidas deles) convocou, segundo a forma antiga, um *Leito de Justiça*, em que ele concordou com a deliberação e voto *par tête* (por cabeça) sobre diversos assuntos, mas reservou a deliberação e o voto sobre todas as questões relacionadas com a constituição às três câmaras separadamente.

A declaração do rei foi feita contra o conselho de M. Neckar, que agora começou a perceber que estava ficando fora de moda na Corte e que outro ministro estava em vista.

Como a forma de sessões em câmaras separadas fosse aparentemente mantida, embora essencialmente destruída, depois desta declaração do rei os representantes nacionais dirigiram-se imediatamente para suas próprias câmaras para consultar sobre um protesto contra isso; e a minoria da câmara (que se chamava de nobres), cujos membros tinham se juntado à causa nacional, retiraram-se para uma casa particular para consulta semelhante.

Os descontentes tinham nesta ocasião combinado suas medidas com a Corte, que o Conde d'Artois se encarregou de conduzir. Como eles vissem, pelo descontentamento que a declaração provocara e pela oposição feita contra ela, que eles não obteriam controle sobre a tencionada constituição com voto separado, eles se prepararam para seu objetivo final: o de conspirar contra a Assembleia Nacional e derrubá-la.

Na manhã seguinte a porta da câmara da Assembleia Nacional estava fechada e guardada por soldados. Os membros foram impedidos de entrar. Então eles se retiraram para um campo de tênis na proximidade de Versalhes, o lugar mais conveniente que puderam encontrar, e, depois de renovar a sessão, juraram nunca se separar um do outro em nenhuma circunstância, exceto na morte, até terem feito uma constituição. Como a experiência de fechar a Câmara não teve outro efeito senão o de produzir maior união entre os membros, ela foi aberta de novo no dia seguinte e a coisa pública recomeçou no local de costume.

Agora devemos ter presente a formação do novo ministério, que deveria realizar a derrubada da Assembleia Nacional. Mas como seria necessária a força, foram dadas ordens para reunir trinta mil soldados, cujo comando foi entregue a Broglio, membro do recém-projetado ministério, que foi chamado de volta do interior para esse fim. Mas como seriam necessárias algumas providências para manter este plano em segredo até o momento em que estivesse pronto para ser executado, é a esta política que deve ser atribuída a declaração feita pelo Conde d'Artois, e que agora é conveniente que seja apresentada.

Enquanto os descontentes continuavam a se reunir em suas câmaras separadas da Assembleia Nacional, mais ciúmes surgiram naturalmente do que se estivessem ligados a ela e se suspeitou do golpe. Mas como já tinham feito seu plano e queriam um pretexto para abandoná-lo, era preciso idear um. Isso realmente foi feito pela declaração do Conde d'Artois: "Que se não tomassem parte na Assembleia Nacional, a vida do rei estaria em perigo". Com isso os descontentes abandonaram suas câmaras e se uniram à Assembleia, num só órgão.

Quando esta declaração foi feita, ela foi em geral considerada como um ato absurdo por parte do Conde d'Artois e calculada apenas para aliviar os membros notáveis das duas câmaras da situação de minoria em que se encontravam. Se nada mais se tivesse seguido, esta conclusão teria sido boa. Mas como as coisas são melhor explicadas pelos seus eventos, esta aparente união era apenas para encobrir as maquinações que continuavam secretamente. A declaração servia a esta finalidade. Em pouco tempo a Assembleia Nacional se encontrou cercada pelos soldados, e milhares mais chegavam a cada dia. A propósito disso a Assembleia Nacional fez ao rei uma declaração muito forte, argumentando contra a impropriedade da medida e exigindo explicação. O rei, que não estava no segredo do negócio, como ele mesmo declarou mais tarde, deu substancialmente como resposta que ele não tinha outro objetivo em vista senão preservar a tranquilidade pública, que parecia estar muito perturbada.

Alguns dias depois disso a trama se desfez por si mesma. M. Neckar e o Ministério foram destituídos e foi formado um novo ministério com inimigos da Revolução. Broglio, com vinte e cinco a trinta mil solados estrangeiros, chegou para apoiá-los. A máscara fora tirada, e as coisas chegaram a uma crise. O resultado foi que, num espaço de três dias, o novo Ministério e seus cúmplices acharam prudente fugir da nação. A Bastilha fora tomada e Broglio e seus soldados estrangeiros dispersados, como já foi relatado numa parte anterior deste livro.

Há algumas circunstâncias curiosas na história deste ministério de vida curta e nesta tentativa de vida curta de uma contrarrevolução. O Palácio de Versalhes, que era a sede da Corte, não estava mais de quatrocentas jardas distante da sede da Assembleia Nacional. Os dois locais eram neste momento como os quartéis-generais de dois exércitos em combate. A Corte ignorava de tal forma as informações que tinham chegado de Paris à Assembleia Nacional como se estivesse a cem milhas de distância. O então Marquês de la Fayette, que (como já ficou dito) foi escolhido para presidir a Assembleia Nacional nesta ocasião particular, nomeou, por ordem da Assembleia, três delegações sucessivas ao rei, no dia e até a tarde em que a Bastilha foi tomada, para informar e tratar com ele a situação. O Ministério, que sabia apenas que tinha sido atacado, evitava toda comunicação e se consolava com a habilidade com que tinham obtido êxito. Dentro de poucas horas, porém, as notícias chegaram tão rapidamente que eles saíram de suas mesas e correram. Alguns saíram com um disfarce, alguns com outro, e ninguém com sua própria cara. A ânsia deles agora era chegar antes das notícias, para não serem parados, mas, embora elas corressem depressa, não corriam tão depressa como eles.

Cumpre ressaltar que a Assembleia Nacional não perseguiu aqueles conspiradores fugitivos, não fez caso deles nem procurou retaliar de qualquer forma que fosse.

Ocupados em estabelecer uma constituição fundada nos Direitos do Homem e na Autoridade do Povo, a única autoridade a partir da qual um governo tem o direito de existir em qualquer país, a Assembleia Nacional não sentiu falta de nenhuma destas paixões mesquinhas que caracterizam os governos impertinentes, que se fundamentam em sua própria autoridade ou no absurdo da sucessão hereditária. É faculdade da mente humana tornar-se o que ela contempla e agir em uníssono com seu objetivo.

Tendo sido assim desfeita a conspiração, uma das primeiras tarefas da Assembleia Nacional, em vez de proclamações vingativas, como tem sido o caso com outros governos, publicou uma Declaração dos Direitos do Homem como a base sobre a qual construir a nova constituição e que aqui é apresentada.

Declaração dos Direitos do Homem e do Cidadão da Assembleia Nacional Francesa

Os representantes do povo francês, constituídos em Assembleia Nacional, compreendendo que a ignorância, o esquecimento e o desprezo pelos direitos do homem são a causa única da infelicidade pública e da corrupção do governo, decidiram expor, numa declaração solene, os direitos naturais, inalienáveis e sagrados do homem, a fim de que essa declaração, estando sempre presente em todos os membros do corpo social, lembre-lhes os seus direitos e deveres; e para que todos os atos dos poderes legislativo e executivo, podendo em qualquer momento ser comparados com o fim de toda a instituição política, sejam sobretudo respeitados, e a fim de que as futuras reclamações dos cidadãos, fundadas desde agora em princípios simples e incontestáveis, tendam sempre à inviolabilidade da Constituição e à felicidade de todos.

Por estes motivos a Assembleia Nacional reconhece e declara, na presença do Ser Supremo e sob seus auspícios, os seguintes *sagrados* direitos do homem e do cidadão:

1) Os homens nascem e vivem livres e iguais em direitos. As distinções sociais só podem ter fundamento na utilidade comum.

2) O fim de toda associação política é a conservação dos direitos naturais e imprescritíveis do homem. Estes direitos são; a liberdade, a propriedade, a segurança e a resistência à opressão.

3) O princípio de toda soberania reside, essencialmente, na nação. Nenhuma corporação e nenhum indivíduo pode exercer autoridade que dela não derive expressamente.

4) A liberdade consiste em poder fazer tudo aquilo que não prejudique os outros. Assim, o exercício dos direitos naturais de cada homem só tem como limites os que garantem aos *outros* membros da sociedade o exercício livre destes direitos. Estes limites só podem ser determinados pela lei.

5) A lei só tem o direito de proibir as ações nocivas à sociedade. Tudo o que não for proibido pela lei não pode ser impedido, e ninguém pode ser obrigado a fazer o que a lei não ordene.

6) A lei é a expressão da vontade geral. Todos os cidadãos têm o direito de concorrer, pessoalmente, ou pelos seus representantes, para a sua formação. Deve ser igual para todos, protegendo ou punindo. Sendo todos os cidadãos iguais perante a lei, são, igualmente, admitidos a todas as dignidades, cargos e empregos públicos, segundo a capacidade de cada um e sem outra distinção que não seja a das suas virtudes ou talentos.

7) Ninguém pode ser acusado, detido ou sequestrado, senão nos casos determinados pela lei e segundo as formas que ela estabelece. Quem solicitar, expedir, executar ou mandar executar ordens arbitrárias, deve ser punido; mas, todo cidadão intimado ou preso em virtude da lei, deve obedecer, imediatamente; não o fazendo, torna-se responsável pelo delito da resistência.

8) A lei só deve estabelecer penalidades estrita e evidentemente necessárias e só se pode ser punido em virtude de uma lei estabelecida e promulgada anteriormente ao delito e legalmente aplicada.

9) Todo homem é considerado inocente até o momento em que, reconhecido como culpado, se julgar indispensável a sua prisão; todo o rigor desnecessário, empregado para a efetuar, deve ser severamente reprimido pela lei.

10) Ninguém deve ser perseguido pelas suas opiniões, inclusive as religiosas, desde que a sua manifestação não perturbe a ordem pública estabelecida pela lei.

11) A livre expressão do pensamento e da opinião é um dos direitos mais preciosos do homem; todo cidadão pode, pois, falar, escrever e imprimir livremente, tornando-se res-

ponsável pelo abuso desta liberdade, nos casos determinados pela lei.

12) A garantia dos direitos do homem e do cidadão exige uma força pública; esta força é instituída para a garantia de todos e não para utilidade particular daqueles a que é confiada.

13) Para a manutenção da força pública e para as despesas de administração, é indispensável uma contribuição comum; deve ser igualmente repartida entre todos os cidadãos, na medida das possibilidades de cada um.

14) Todos os cidadãos têm o direito de livre opinião, por si ou por intermédio de seus representantes, sobre a necessidade das contribuições públicas, fiscalização do emprego delas, determinação do valor das quotas-partes e sua duração.

15) A sociedade tem o direito de pedir contas a todo agente público na sua administração.

16) Não tem constituição toda sociedade em que a garantia dos direitos não esteja assegurada, nem a separação dos poderes determinada.

17) Sendo a propriedade um direito inviolável e sagrado, ninguém pode ser privado, salvo quando a necessidade pública, legalmente verificada, o exigir, evidentemente com a condição duma prévia e justa indenização.

Observações sobre a Declaração dos Direitos

Os primeiros três artigos abrangem em termos gerais toda a Declaração dos Direitos. Todos os artigos que seguem originam-se deles ou são como que elucidações. O quarto, o quinto e o sexto definem mais particularmente o que está expresso apenas de modo geral no primeiro, segundo e terceiro.

Os artigos 7º, 8º, 9º, 10º e 11º são declarações de princípios a partir dos quais se elaborará a lei, de acordo com os direitos já declarados.

Mas algumas pessoas de bem na França, bem como em outros países, questionam se o artigo 10º garante suficientemente o direito que se quer outorgar. Além disso, debilita a dignidade divina da religião e enfraquece sua força eficaz sobre a mente ao sujeitá-la a leis humanas. Apresenta-se portanto ao homem como luz interceptada por uma nebulosidade, tomando-se escura a fonte da luz para ele, e ele nada vê que deva reverenciar na luz obscurecida.

Os artigos restantes, a começar pelo 12º, estão substancialmente contidos nos princípios dos artigos anteriores; mas, na situação particular em que a França então estava, tendo que desfazer o que estava errado e organizar o que era certo, seria conveniente ter sido mais exato do que seria necessário numa situação diferente.

Enquanto a Declaração de Direitos era debatida na Assembleia Nacional, alguns de seus membros observaram que se a Declaração dos Direitos fosse publicada, ela deveria ser acompanhada por uma declaração de deveres. A observação mostra uma mente que reflete e erra apenas por refletir longe demais. Uma Declaração de Direitos é, por reciprocidade, uma declaração de deveres também. O que é direito meu como homem é também o direito do outro; torna-se meu dever garanti-lo, tanto quanto possuí-lo.

Os três primeiros artigos são a base da liberdade, tanto individual como nacional. Nenhum país pode ser chamado livre se seu governo não parte dos princípios que eles contêm e continue a preservá-los puros. Toda a Declaração dos Direitos é de mais valor para o mundo e fará mais bem do que todas as leis e estatutos que jamais foram promulgados.

No exórdio declaratório que prefacia a Declaração dos Direitos vemos um espetáculo solene e majestoso de uma nação iniciando uma assembleia constituinte sob os auspícios do Criador, para estabelecer um governo, uma cena tão nova e tão transcendentalmente inigualada por nenhuma outra no mundo europeu, que o nome Revolução é um diminutivo de seu caráter, e chega até a *regeneração do homem*. O que são os atuais governos da Europa senão um cenário de iniquidade e opressão? O que é o da Inglaterra. Não dizem seus próprios habitantes que ela é um mercado onde cada homem tem seu preço e onde a corrupção é o tráfico comum às custas de um povo iludido? Não é de admirar, portanto, que a Revolução Francesa seja difamada. Se ela tivesse se limitado apenas à destruição do despotismo flagrante, talvez o Sr. Burke e alguns outros tivessem ficado em silêncio. Seu grito agora é: "Ela foi longe demais". Quer dizer, foi longe demais para eles. Ela olha a corrupção fixamente na cara, e a tribo venal está toda alarmada. O medo deles se descobre em seus ultrajes, e eles apenas estão publicando o lamento de um vício ferido. De tal oposição, porém, a Revolução Francesa, em vez de sofrimento, recebe uma homenagem. Quanto mais ela é atacada, mais centelhas emite; e o medo é que não seja atacada suficientemente. Ela nada tem a temer dos ataques: a Verdade lhe deu um fundamento e o Tempo a gravará com um nome tão duradouro como o dele próprio.

Tendo traçado o progresso da Revolução Francesa através de seus estágios principais, desde o começo até a tomada da Bastilha, e seu estabelecimento pela Declaração dos Direitos, encerrarei este assunto com a apóstrofe enérgica do M. de la Fayette: *"Que este grande monumento, levantado à Liberdade, sirva de lição para o opressor e de exemplo para o oprimido".*

Capítulo de assuntos vários

Para evitar a interrupção do argumento na parte precedente desta obra ou da narrativa que segue, reservei algumas observações para serem juntadas num capítulo de miscelâneas. Assim a variedade não será censurada como confusão.

O livro do Sr. Burke é *todo* uma miscelânea. Sua intenção era fazer um ataque à Revolução Francesa, mas em vez de proceder ordenadamente, ele a atacou com uma multidão de ideias que tropeçam umas nas outras e se destroem mutuamente.

Mas esta confusão e contradição no livro do Sr. Burke é facilmente explicável. Quando um homem numa causa longa tenta guiar seus passos numa direção que não seja a da estrela polar da verdade ou de algum princípio, com certeza está perdido. Está além do âmbito de sua capacidade conservar juntas as partes de um argumento e uni-las num único resultado por outros meios senão tendo sempre em vista esta orientação. Nem a memória nem a imaginação pode suprir a falta dela. A primeira lhe falta e a última o trai.

Apesar do absurdo (pois ele não merece outro nome) que o Sr. Burke declarou sobre a sucessão hereditária e que uma nação não tem o direito de constituir por si mesma um governo, soçobrou na tentativa de explicar o que é o governo.

"O governo", diz ele, "é uma invenção da sabedoria humana".

Admitindo que o governo seja uma invenção da *sabedoria* humana, segue-se necessariamente que sucessão hereditária e direitos hereditários (como são chamados) não podem fazer parte dela porque é impossível tornar hereditária a sabedoria. Por outro lado, também não pode ser uma invenção sábia porque o governo de uma nação, em sua execução, pode ser confiado à sabedoria de um idiota.

A base em que o Sr. Burke se apoia agora é fatal para todas as partes de sua causa. O argumento muda de direitos hereditários para sabedoria hereditária. A questão é: quem é o homem mais sábio?

Agora devemos mostrar que todo homem, na linha da sucessão hereditária, era um Salomão ou seu título não é bom para ser rei.

Qual é o golpe do Sr. Burke agora?! Para usar uma expressão dos marinheiros, ele esfregou o convés, mal deixando um nome legível na lista dos reis. Ele ceifou e reduziu a Câmara dos Lordes com uma foice tão formidável como a Morte e o Tempo.

Mas o Sr. Burke parece estar consciente de sua resposta e ele tomou cuidado de se precaver contra ela fazendo o governo não apenas uma invenção da sabedoria humana mas também ura monopólio da sabedoria.

Ele coloca a nação como tolos de um lado e o governo da sabedoria, todos os sábios de Gotham, do outro lado, em seguida proclama e diz que "Os homens têm DIREITO de terem suas *necessidades* satisfeitas por essa sabedoria". Tendo feito esta proclamação, ele passa em seguida a explicar o que são suas *necessidades*, como também os seus *direitos*.

Nisso ele foi muito hábil, pois ele torna suas necessidades uma *falta* de sabedoria. Mas como isso era consolo insuficiente, então lhes informa que eles têm o *direito*, não a qualquer sabedoria, mas a serem governados por ela. A fim de impressioná-los com uma reverência solene por este monopólio governamental de sabedoria, e de sua ampla capacidade para todos os propósitos, possíveis ou impossíveis, certos ou errados, ele continua com uma importância misteriosa astrológica para lhes contar os poderes dele nestas palavras: "Os direitos dos homens no governo são as vantagens deles e estas muitas vezes estão equilibradas entre diferenças do bem e algumas vezes em compromissos entre *bem* e *mal* e às vezes entre *mal* e *mal.* A razão política é um *princípio de cálculo:* somar, subtrair, multiplicar e dividir, moralmente e não metafisicamente ou matematicamente, demonstrações morais verdadeiras".

Como os ouvintes atônitos, para quem o Sr. Burke acha que está falando, podem não entender todo este jargão instruído, procurarei ser o seu intérprete. O sentido de tudo isto é que aquele Governo não é governado por nenhum princípio, que ele não pode tornar o mal bom nem o bem mau a seu bel-prazer. Em resumo, que o governo é um *poder arbitrário.*

Contudo, o Sr. Burke esqueceu algumas coisas.

Primeiro, não mostrou de onde veio originalmente a sabedoria.

Segundo, ele não mostrou por qual autoridade ela começou a agir.

Da maneira como ele apresenta o assunto, ou é o governo roubando a sabedoria, ou a sabedoria roubando o governo. Não tem começo, e seus poderes não têm autoridade. Em resumo, é usurpação.

Seja por sentimento de vergonha ou pela consciência de algum defeito radical no governo, o qual é preciso ficar oculto, ou pelos dois motivos, ou por outro qualquer, decidi não concluir – mas na verdade é isso mesmo – que um argumentador monárquico nunca segue o governo até sua origem nem parte da origem dele. É um dos *shibboleths*, uma contrassenha, pela qual pode ser conhecido. Daqui a mil anos, os que viverem na América ou na França contemplarão com orgulho sua origem e dirão: *isto foi obra de nossos gloriosos ancestrais.* Mas o que pode dizer um monarquista? De que exultará ele? Que lástima, ele não tem nada! Uma certa coisa o impede de olhar para o começo, a não ser que algum salteador, ou algum Robin Hood, se levante da longa obscuridade do tempo e diga: *eu sou a origem.* Por mais que o Sr. Burke tenha esquadrinhado a lista dos reis e a sucessão hereditária dois anos atrás e por mais que tenha mergulhado no passado em busca de precedentes, ainda não tem a ousadia suficiente para apresentar Guilherme da Normandia e dizer: *aqui está a cabeça da lista, eis a fonte de honra*: o filho de uma prostituta e saqueador da nação inglesa.

As opiniões dos homens em relação ao governo estão mudando rapidamente em todos os países. As revoluções na América e na França lançaram um raio de luz sobre o mundo, que penetra o homem. Os enormes gastos dos governos levaram o povo a pensar, fazendo-o ter consciência da realidade; e uma vez que o véu começa a se rasgar, não pode ser consertado. A ignorância tem uma natureza peculiar: uma vez dispersada, é impossível restabelecê-la. Ela não é originalmente uma coisa em si, mas é apenas a ausência de conhecimento. Embora o homem possa ser *conservado* ignorante, ele não pode ser *feito* ignorante.

A mente, ao descobrir a verdade, age da mesma maneira que atua através do olho ao descobrir objetos. Uma vez que o objeto foi visto, é impossível devolver a mente à mesma condição em que estava antes de vê-lo.

Aqueles que falam de uma contrarrevolução na França mostram quão pouco entendem o homem. Não existe no âmbito da linguagem um conjunto de palavras para expressar os meios de fazer uma contrarrevolução. Os meios devem ser uma obliteração do conhecimento. Ainda não se descobriu como fazer o homem *desconhecer* seu conhecimento ou *impensar* seus pensamentos.

O Sr. Burke se esforça em vão para fazer parar o progresso do conhecimento. E isso é pior para ele, pois há certa transação conhecida na cidade que o torna suspeito de ser pensionista com um nome fictício. Isso pode explicar certa doutrina que ele apresenta em seu livro, que, embora ele atribua à "Revolution Society", dirige de fato contra toda a nação.

"O rei da Inglaterra", diz ele, "possui *sua Coroa*" (pois ela não pertence à nação, de acordo com o Sr. Burke) "a *despeito* da preferência da "Revolution Society", que não tem um único voto em favor de um rei seja *individual* ou *coletivamente*; e os herdeiros de sua Majestade, cada um em seu tempo e ordem, chegará à Coroa *com o mesmo desdém* pela escolha deles com o qual sua Majestade sucedeu à que ele agora usa".

Sobre quem é rei na Inglaterra ou em qualquer lugar, ou se há algum rei, ou se o povo escolhe um cacique cherokee ou um hussardo alemão para rei, não é assunto com que eu me preocupe; que eles se preocupem. Quanto à doutrina, porém, na medida em que se relaciona com os direitos dos homens e das nações, é tão abominável como qualquer coisa jamais expressada no mais escravizado país debaixo do céu. Se soa pior ao meu ouvido, por não estar acostumado a ouvir tal despotismo, do que soa ao ouvido de outra pessoa, não estou apto a julgar; mas não tenho dúvida em julgar seu abominável princípio.

Não é na "Revolution Society" que o Sr. Burke pensa, é na nação, tanto em seu caráter *original* como *representativo.* Ele tomou cuidado em se fazer entendido ao dizer que eles não têm voto nem *coletivamente* nem *individualmente.* A "Revolution Society" é composta de cidadãos de todas as denominações e de membros de ambas as Casas do Parlamento. Consequentemente, se não há nenhum direito a voto em nenhuma pessoa, não pode haver nenhum direito para ninguém, tanto na nação como no Parlamento. Isso deveria ser um aviso para todas as nações na medida em que se interessam por famílias estrangeiras para serem reis. E interessante observar que, embora as pessoas na Inglaterra tenham o hábito de falar de reis, é sempre uma casa estrangeira de reis, odiando estrangeiros mas governados por eles. Agora é a Casa de Brunswick, uma pequena tribo da Alemanha.

Até agora tem sido costume que os Parlamentos ingleses regulamentem o que se chama de sucessão (aceitando o fato de a nação continuar a concordar com a forma de anexar um ramo monárquico a seu governo pois sem isso o Parlamento não teria autoridade para ter enviado alguém para a Holanda ou Hanover ou para impor um rei à nação contra a sua vontade). Este deve ser o limite máximo até onde o Parlamento pode ir nesta questão. Mas o direito da nação se refere à questão *toda* porque ela tem o direito de mudar *toda* a sua forma de governo. O direito do Parlamento é apenas um direito em confiança, um direito por delegação, delegação apenas de uma pequena parte da nação, e até uma de suas Casas não tem sequer este direito. O direito da nação porém é um direito universal, tão universal como criar impostos. A nação é quem paga tudo e tudo deve estar conforme sua vontade geral.

Lembro-me de um discurso que anotei, pronunciado na chamada Câmara Inglesa dos

Lordes pelo então Conde de Shelburne, creio que no tempo em que ele era ministro, que se aplica ao caso. Não posso confiar em minha memória em relação a todos os detalhes, mas as palavras e o conteúdo, tanto quanto me lembro, eram estes: *A forma de governo é uma questão que depende completamente da nação em qualquer tempo; se ela escolhe uma forma monárquica, tem o direito de fazer isso; e se depois escolher ser uma república, tem o direito de ser uma república e de dizer ao rei: "Não temos mais lugar para você".*

Quando Sr. Burke diz que "os herdeiros e sucessores de sua Majestade, cada qual em seu tempo e ordem, chegará à Coroa com o *mesmo desdém* pela sua escolha com o qual sua Majestade chegou à que ele usa", está dizendo demais até para o indivíduo mais humilde do país, parte de cujo trabalho diário se destina a completar o milhão de libras esterlinas por ano que dá a uma pessoa que se intitula rei. Governo com insolência é despotismo. Mas, quando se acrescenta desprezo, ele se torna pior. Pagar pelo desprezo é o cúmulo da escravidão. Esta espécie de governo vem da Alemanha. Ele me recorda o que um soldado de Brunswick me disse, quando foi feito prisioneiro pelos americanos na última guerra: "Ah", disse ele, "a América é um país muito livre, vale a pena o povo lutar por ele; eu sei a diferença porque conheço o meu; em meu país se o príncipe manda comer palha, nós comemos palha". Que Deus ajude este povo, pensei eu, seja na Inglaterra ou em qualquer outro lugar, cujas liberdades devem ser protegidas por princípios germânicos de governo e por príncipes de Brunswick!

Como o Sr. Burke às vezes fala da Inglaterra, às vezes da França e às vezes do mundo e do governo em geral, é difícil dar uma resposta a seu livro sem aparentemente enfrentá-lo no mesmo terreno. Embora princípios de governo sejam assuntos gerais, é quase impossível, em muitos casos, separá-los da ideia de lugar e circunstância, mais ainda quando as circunstâncias são apresentadas como argumentos, o que acontece frequentemente com o Sr. Burke.

Na primeira parte de seu livro, dirigindo-se ao povo da França, ele diz: "Nenhuma experiência nos ensinou (isto é, aos ingleses) que em qualquer outro curso ou método que não sejam o da *coroa hereditária* nossas liberdades podem ser regularmente perpetuadas e preservadas como sacras como nosso *direito hereditário*". Eu perguntei ao Sr. Burke: quem as tirará? M. de la Fayette, falando à França, diz: "Para uma nação ser livre, basta querer". Mas o Sr. Burke representa a Inglaterra necessitando de capacidade para cuidar de si mesma e que suas liberdades devem ser cuidadas por um rei que a "despreza". Se a Inglaterra afundar nisto, ela está se preparando para comer palha, como em Hanover ou em Brunswick. Além do disparate da declaração, todos os fatos estão contra o Sr. Burke. Foi pelo fato de o governo *ser hereditário* que as liberdades do povo estiveram em perigo. Carlos I e Jaime II são exemplos desta verdade. Mas nenhum deles foi tão longe como ter desprezo pela nação.

Como às vezes é vantajoso para o povo de um país ouvir o que os de outros países têm a dizer a respeito dele, é possível que o povo da França aprenda algo com o livro do Sr. Burke, e que o povo da Inglaterra também aprenda alguma coisa com as respostas que ele ocasionará. Quando nações discutem sobre liberdade, abre-se um amplo campo de debate. O argumento começa com os direitos de guerra, sem seus males; e como o conhecimento é o objeto pelo qual se luta, o lado que defende a derrota obtém o prêmio.

O Sr. Burke fala do que ele chama de coroa hereditária, como se ela fosse algum produto da natureza; ou como se, igual ao tempo, ela tivesse poder de agir não apenas independentemente mas apesar do homem; ou como se ela fosse uma coisa ou assunto universalmente aceito. Que lástima, ela não tem nenhuma destas propriedades, mas é o reverso delas todas. É uma coisa na imaginação mais do que duvidosa, cuja legalidade em poucos anos será negada.

Mas, para dispor esta questão de uma maneira mais clara do que permite uma expressão geral, é necessário distinguir os pontos de vista sob os quais uma coroa hereditária (como é chamada) ou, falando mais apropriadamente, uma sucessão hereditária ao governo de uma nação, pode ser considerada. São eles;

Primeiro, o direito de uma família particular se estabelecer.

Segundo, o direito de uma nação estabelecer uma família particular.

Quanto ao primeiro ponto, o de uma família se estabelecer com poderes hereditários por autoridade própria e independente do consentimento de uma nação, todos concordarão em chamar isso de despotismo, e seria violar a inteligência deles tentar prová-lo.

Mas o segundo ponto, uma nação estabelecer uma família particular com poderes hereditários, não se apresenta como despotismo à primeira reflexão; mas se os homens permitirem que haja uma segunda reflexão, e levarem avante a reflexão transferindo-a de suas próprias pessoas para as de seus descendentes, verão que aquela sucessão hereditária torna-se em suas consequências o mesmo despotismo para outros, o qual eles reprovaram para si mesmos. Ela exclui o consentimento das gerações seguintes, e a exclusão do consentimento é despotismo. Quando a pessoa que a qualquer momento estará de posse de um governo, ou aqueles que estão na fila da sucessão a ele, disser para uma nação: tenho este poder em "desprezo" de vocês, não significa com que autoridade ele pretende dizer isso. Não é um atenuante mas um agravante para uma pessoa em escravidão pensar que foi vendida por seu pai; e como aquilo que aumenta a criminalidade de um ato não pode provar a legalidade dele, a sucessão hereditária não pode ser estabelecida como uma coisa legal.

A fim de chegar a uma decisão mais perfeita neste ponto seria conveniente considerar a geração que decide estabelecer uma família com poderes hereditários à parte e separada das gerações que hão de seguir, e considerar também o papel que esta primeira geração desempenha em relação às gerações seguintes.

A geração que por primeiro escolhe uma pessoa e a põe à frente de seu governo, seja com o título de rei ou outro título qualquer, age por decisão própria, seja ela sábia ou tola, e como pessoa livre.

A pessoa assim instituída não é hereditária e sim escolhida e indicada. A geração que a instituiu não vive sob um governo hereditário e sim sob um governo escolhido e estabelecido por eles mesmos.

Se a geração que institui a pessoa e a pessoa assim instituída vivessem para sempre, não haveria sucessão hereditária. Consequentemente, a sucessão hereditária somente pode ocorrer com a morte das primeiras partes.

Como, portanto, a sucessão hereditária está fora de questão com respeito à *primeira* geração, não levamos em conta o papel que *aquela* primeira geração representa para a geração que está começando e para todas as que se seguirem.

Ela assume um papel para o qual não tem nem direito nem título. De legisladora ela se transforma em testadora e quer que se faça sua vontade, que é que continue em vigor depois de sua morte o fato de legar o governo. Não se trata de tentativas de legá-lo mas de estabelecer para a geração seguinte uma forma nova e diferente de governo do qual ela tinha. Ela mesma, como já foi observado, não vivia sob um governo hereditário mas sob um governo escolhido e estabelecido por ela própria. Agora ela tenta, por força de uma vontade e de um testamento (o qual ela não tinha autoridade para fazer), tirar da nova geração e de todas as futuras o direito de agirem livremente como ela agiu.

Excetuado o direito que qualquer geração tem de agir coletivamente como um testador, os fins aos quais ele se aplica neste caso não estão no âmbito de nenhuma lei ou de nenhuma vontade ou testamento.

Os direitos do homem em sociedade não podem ser legados por testamento ou transferidos nem aniquilados mas apenas transmitidos e não está no poder de nenhuma geração interceptar e deserdar a descendência.

Se a geração atual, ou qualquer outra, estiver disposta a ser escrava, isso não diminui o direito de as gerações seguintes serem livres. Os erros não podem ter descendência legal.

Quando o Sr. Burke tenta sustentar o que a nação inglesa fez na Revolução de 1688, ao renunciar e abdicar do modo mais solene aos direitos seus e de sua posteridade para sempre, ele fala uma linguagem que não merece resposta e que apenas pode suscitar desprezo por seus princípios venais, ou piedade por sua ignorância.

Seja qual for a forma sob a qual a sucessão hereditária se apresenta, quer provindo da vontade e do testamento de alguma geração anterior, é um absurdo. A não pode determinar em testamento que seja tirada a propriedade de B e dada a C, embora esta seja a maneira como age a (assim chamada) sucessão hereditária por lei. Certa geração anterior fez um testamento de tirar os direitos da geração que então iniciava, e de todas as futuras, e transferir estes direitos a uma terceira pessoa que mais tarde se adianta e lhes diz, na linguagem do Sr. Burke, que eles não têm *nenhum direito*, que o direito deles lhe foi legado e que ele governará *com desprezo deles*. De tais princípios e de tal ignorância Deus livre o mundo.

Enfim, o que é a metáfora chamada Coroa, ou melhor, o que é Monarquia? É uma coisa, um nome ou uma fraude? É uma "invenção da sabedoria humana", ou da astúcia humana para obter dinheiro de uma nação com pretensões artificiosas? É uma coisa necessária a uma nação? Se for, em que consiste esta necessidade, que serviços realiza, qual é seu negócio e quais são seus méritos? A virtude está na metáfora ou no homem? O ferreiro que faz a coroa, faz também a virtude? Tem o mesmo efeito do barrete-mágico de Fortunato ou a espada de madeira de Harlequim? Ela faz do homem um encantador? Em resumo, é o quê? Ela parece algo muito fora de moda, caindo no ridículo, rejeitada em alguns países como desnecessária e como cara. Na América ela é considerada um absurdo. Na França ela decaiu tanto que a bondade do homem e o respeito por sua personalidade são as únicas coisas que preservam a aparência de sua existência.

Se o governo for o que o Sr. Burke descreve, "uma invenção da sabedoria humana", eu lhe pergunto se a sabedoria está tão em falta na Inglaterra que foi preciso importá-la da Holanda e de Hanover? Farei justiça ao país ao dizer que não foi este o caso; e mesmo se fosse, houve engano sobre a carga. A sabedoria de um país, quando adequadamente empregada, é suficiente para todos os seus fins. Não poderia haver mais motivo na Inglaterra para mandar buscar um estatuder holandês ou um eleitor alemão do que havia na América para fazer algo parecido. Se um país não compreende seus próprios negócios, como pode um estrangeiro entendê-los, ele que não conhece suas leis, suas maneiras nem sua língua? Se existisse um homem tão transcendentemente sábio acima de todos os outros que sua sabedoria fosse necessária para instruir a nação, poderia ser apresentada alguma razão para a monarquia. Mas quando lançamos nossos olhos sobre o país e observamos como cada parte entende seus próprios negócios, quando olhamos em volta do mundo e vemos que de todos os homens os reis são os mais insignificantes em capacidade, nossa razão não pode deixar de nos interrogar: para que se conservam estes homens?

Se houver algo na monarquia que nós, povo da América, não compreendemos, gostaria que o Sr. Burke tivesse a bondade de nos informar. Na América eu vejo um governo de um país, dez vezes maior do que a Inglaterra, funcionando regularmente, com um quarto dos gastos que custa o governo na Inglaterra. Se eu perguntar a um homem na América se ele quer um rei, como resposta ele me pergunta se eu o considero idiota. Como acontece uma diferença destas? Somos mais sábios ou menos do que os outros? Vejo na América a maioria do povo vivendo numa espécie de abundância desconhecida em países monárquicos; vejo também que o princípio de seu governo, que é o dos *direitos iguais do homem*, está progredindo rapidamente no mundo.

Se a monarquia é algo inútil, por que ela é conservada em alguns lugares? Se é necessária, como se pode renunciar a ela? Que o *governo civil* é necessário, todas as nações civilizadas concordam. Mas o governo civil é governo republicano. Toda aquela parte do governo da Inglaterra que começa com o cargo de prefeito, continua com os juízes, as sessões trimestrais de juízes e o tribunal de justiça, inclusive julgamento por júri, é governo republicano. Nada de monarquia aparece em qualquer parte dele exceto o nome que Guilherme o Conquistador impôs aos ingleses, obrigando-os a chamá-lo de "Soberano Senhor o Rei".

É fácil imaginar que um bando de homens interessados, como empregados públicos, pensionistas, lordes do quarto de dormir, lordes da cozinha, lordes das coisas necessárias para a casa, e Deus sabe o que mais, podem encontrar tantos motivos para a monarquia quanto alcançam seus salários, pagos às custas do país. Mas, se perguntar ao agricultor, ao artesão, ao comerciante, ao negociante, seguindo todas as ocupações da vida até o trabalhador comum, qual o serviço que a monarquia lhe presta, ele não saberá me responder. Se lhe perguntar o que é a monarquia, ele acha que é algo como uma sinecura.

Apesar de os impostos na Inglaterra chegarem quase a dezessete milhões por ano – para os gastos do governo, como dizem – ainda é evidente que a nação é deixada a se governar a si mesma e se governa através dos magistrados e júris, praticamente às suas próprias custas, baseada em princípios republicanos, sem a despesa de impostos. Os salários dos juízes são quase as únicas despesas que são pagas fora da receita dos impostos. Considerando que todo o governo interno é realizado pelo povo, os impostos da Inglaterra deveriam ser os menores de todas as nações da Europa; em vez disso, ocorre o contrário. Uma vez que isto não pode ser imputado ao governo civil, a questão necessariamente abrange a parte monárquica.

Quando o povo da Inglaterra mandou buscar Jorge I (e um homem mais sábio do que o Sr. Burke teria dificuldade em descobrir para que precisavam dele, ou qual serviço ele poderia prestar) ao menos poderia ter posto a condição de ele abandonar Hanover. Além das infindáveis intrigas provenientes do fato de um eleitor alemão ser rei da Inglaterra, há a impossibilidade natural de unir na mesma pessoa os princípios de liberdade e os princípios de despotismo ou, como é comumente chamado na Inglaterra, poder arbitrário. Um eleitor alemão é um déspota em seu eleitorado; como então se poderia esperar que ele aderisse aos princípios da liberdade num país enquanto seus interesses em outro se apoiavam no despotismo? A união não pode existir e facilmente se poderia ter previsto que os eleitores alemães fariam reis alemães ou, nas palavras do Sr. Burke, assumiria o governo com "desprezo". Os ingleses estão acostumados a considerar o rei da Inglaterra apenas do modo como ele se lhes apresenta. A mesma pessoa, enquanto durar a ligação, tem domicílio em outro país, cujo interesse é diferente do deles, e os princípios dos governos opostos entre si. Para uma tal pessoa a Inglaterra será a residência citadina e o eleitorado a fazenda. Os ingleses desejam, creio eu, sucesso para os princípios de liberdade na França ou na Alemanha; mas um eleitor alemão teme pela sorte do despotismo em seu eleitorado; e o Ducado de Mecklenburg, governado pela família da atual rainha, está na mesma situação infeliz de poder arbitrário e o povo, em vassalagem escrava.

Nunca houve um tempo em que os ingleses tiveram que observar as intrigas continentais com mais cautela do que no momento atual e distinguir a política do eleitorado da política da nação. A Revolução Francesa mudou inteiramente as bases da Inglaterra e da França como nações. Mas os déspotas alemães, encabeçados pela Prússia, estão unidos contra a liberdade. O amor do Sr. Pitt por posição e o lucro que todos os seus laços familiares conseguiram não dão segurança suficiente contra esta intriga.

Como tudo o que se passa no mundo torna-se objeto de história, deixo este assunto e passo a examinar concisamente a situação dos partidos e da política na Inglaterra, como o Sr. Burke fez na França.

Se o atual reinado começou com desprezo, deixo esta questão ao Sr. Burke. Contudo, é certo que este reinado deu esta forte impressão. A animosidade da nação inglesa - como muito bem se recorda - estava alta. Se os verdadeiros princípios de liberdade fossem então tão bem-entendidos como eles agora parecem ser, é provável que a nação não teria se submetido pacientemente por tanto tempo. Jorge I e II estavam conscientes de terem um rival nos remanescentes dos Stuarts, e como eles sabiam que dependiam apenas de sua boa conduta, tiveram a prudência de guardar para si os princípios alemães de governo. Quando a família Stuart decaiu, porém, a prudência se tornou menos necessária.

A disputa entre direitos e o que era chamado de prerrogativas continuou a agitar a nação até um pouco depois do término da guerra americana - quando tudo de repente ficou calmo - a execração se transformou em aplauso e a popularidade da Corte brotou como um cogumelo numa noite.

Para compreender esta transição súbita se deve observar que há duas espécies diferentes de popularidade. A primeira provém do mérito, a outra do ressentimento. Como a nação se constituiu em duas partes, e cada uma estava exaltando os méritos de seus defensores parlamentares a favor ou contra prerrogativas, nada poderia provocar um choque mais generalizado do que a coalizão dos próprios defensores. Os partidários de cada um deles, sendo repentinamente deixados em dificuldade e mutuamente desgostosos ao extremo, não encontraram alívio senão se unindo numa execração comum contra ambos. Sendo assim excitado um estímulo maior de ressentimento do que ocasionara a discussão sobre as prerrogativas, a nação abandonou toda a questão anterior de certo e errado e procurou apenas a gratificação. A indignação contra a coalizão substituiu de tal modo a indignação contra a Corte que chegou a extingui-la e, sem qualquer alteração de princípios por parte da Corte, o mesmo povo que reprovara seu despotismo uniu-se a ela para se vingar da coalizão parlamentar. A questão não era de quem eles mais gostavam e sim quem eles mais odiavam. O ódio menor passou por amor. A dissolução da coalizão parlamentar, na medida em que fornecia os meios para aplacar o ressentimento da nação, não podia deixar de ser popular. Daí surgiu a popularidade da Corte.

Transições deste tipo mostram uma nação sob um governo temperamental em vez de um baseado em princípios firmes. Tendo se comprometido uma vez, embora irrefletidamente, sente-se estimulada a justificar, como prolongamento, seu primeiro modo de proceder. Medidas que outrora ela censuraria, agora aprova, e procura se persuadir para sufocar seu julgamento.

Com um novo parlamento, o recém-ministro, Sr. Pitt, tinha uma maioria segura. A nação lhe deu crédito, não por consideração a ele, mas porque ele resolveu fazer isso sem ofender ninguém. Ele se tornou conhecido por propor uma reforma do Parlamento que, se continuasse assim, se tornaria uma justificação pública da corrupção. A Nação teria que pagar a compra de burgos podres, enquanto devia punir as pessoas que estavam no negócio.

Passando por cima da ilusão do negócio holandês e do milhão por ano para amortizar a dívida nacional, o assunto que mais aparece é a questão da regência. Nunca, enquanto eu tenha visto, a ilusão foi manejada com mais sucesso, nem a nação mais completamente enganada. Mas, para mostrar isso, é preciso examinar as circunstâncias.

O Sr. Fox afirmou na Câmara dos Comuns que o Príncipe de Gales, como herdeiro, tinha o direito de assumir o governo. O Sr. Pitt se opôs a isso. Sua oposição, em teoria, estava certa. Mas os princípios defendidos pelo Sr. Pitt no lado contrário eram tão ruins, ou piores, quanto os do Sr. Fox, porque eles estabeleceriam uma aristocracia na nação e sobre a pequena representação que ela tinha na Câmara dos Comuns.

Neste caso a questão não é se a forma inglesa de governo é boa ou má. Mas, tomando-a como ela se apresenta, sem consideração aos seus méritos ou deméritos, o Sr. Pitt estava mais longe do assunto do que o Sr. Fox.

Supõe-se que ela consta de três partes. Enquanto a nação estiver disposta a manter esta forma, as partes têm uma *posição nacional*, independente uma da outra, não provindo uma da outra. Se o Sr. Fox tivesse ido ao Parlamento e dito que a pessoa referida fazia reivindicações com base no bem da nação, o Sr. Pitt deveria ter sustentado o direito (como ele o chamava) do Parlamento contra o direito da nação.

Pelo modo como se apresentou a discussão, o Sr. Fox tomou a base hereditária e o Sr. Pitt a parlamentar, mas o fato é que os dois se basearam na hereditariedade e o Sr. Pitt ficou do lado pior.

O que se chama de Parlamento é composto de duas Casas, sendo uma mais hereditária e mais fora do controle da nação do que a Coroa (como é chamada). Ela é uma aristocracia hereditária, pretendendo e afirmando direitos e autoridade indestrutíveis e irrevogáveis, completamente independente da nação. Onde, então, estava a merecida popularidade de exaltar este poder hereditário acima de outro poder hereditário menos independente da nação do que aquele que ele pretendia ser e de absorver os direitos da nação numa Casa que não pode eleger nem controlar?

O impulso geral da nação estava certo, mas agiu irrefletidamente. Aprovou a oposição feita ao direito estabelecido pelo Sr. Fox sem perceber que o Sr. Pitt estava defendendo outro direito irrevogável mais distante da nação, em oposição a ele.

A Câmara dos Comuns é eleita, mas apenas por uma pequena parte da nação. Se a eleição fosse tão universal como o imposto, como deveria ser, a Câmara dos Comuns deveria ser apenas um órgão da nação e não pode possuir direitos inerentes. Quando a Assembleia Nacional da França resolve um assunto, a resolução é feita em nome da nação. Mas o Sr. Pitt, em todas as questões nacionais, na medida em que elas se referem à Câmara dos Comuns, concentra os direitos da nação num órgão e transforma este órgão em nação e a nação mesma numa cifra.

Em poucas palavras, a questão sobre a regência era a questão de um milhão por ano, que se destinava ao departamento executivo. O Sr. Pitt não teria nenhum acesso à administração desta quantia se não estabelecesse a supremacia do Parlamento. Conseguido isso, era indiferente quem fosse regente, visto que deveria ser regente às próprias custas. Entre as curiosidades deste debate contencioso estava o de transformar o Selo Real em rei; estampando-o numa lei ela passava a ter autoridade real. Portanto, se a Autoridade Real é um Selo Real, ela em si mesma não é nada. Uma boa constituição seria de um valor infinitamente maior para a nação do que três poderes nominais, como eles agora se apresentam.

O uso contínuo da palavra *Constituição* no Parlamento inglês mostra que não há nenhuma e que tudo não passa de uma forma de governo sem uma constituição e se constituindo com o poder que lhe agrada. Se houvesse uma constituição ele certamente seria referido a ela, e o debate sobre qualquer ponto constitucional acabaria produzindo a constituição. Um membro diz que isto é constituição, outro membro diz que aquilo é constituição - hoje é uma coisa, amanhã é algo diferente - enquanto a persistência do debate prova que não há nenhuma. Constituição é agora o jargão no Parlamento, soando ao ouvido da nação. Antigamente era *supremacia universal do Parlamento e a onipotência do Parlamento*, mas, depois do progresso da Liberdade na França, estas frases soam com aspereza despótica. O Parlamento inglês adotou a moda da Assembleia Nacional de falar em *Constituição* mas sem o essencial.

A atual geração do povo inglês não fez o governo e por isso não é responsável por nenhum de seus defeitos. Mas, cedo ou tarde, empreenderá uma reforma constitucional, o que é tão certo como isso aconteceu na França. Se a França, com uma receita de quase vinte e quatro milhões de libras esterlinas, com um país rico e fértil quatro vezes mais extenso do que a Inglaterra, com uma população de vinte e quatro milhões de habitantes para manter o imposto, com mais de noventa milhões de libras esterlinas de ouro e prata circulando na nação e com dívida menor do que a atual dívida da Inglaterra, ainda julga necessário, seja qual for a causa, conseguir liquidar seus negócios, ela resolve o problema de fundos para os dois países.

Não se trata de dizer quanto tempo durou aquilo que se chama de constituição inglesa e, a partir daí, mostrar quanto tempo durará. A questão é: quanto tempo durará o sistema de fundos? Isso é uma invenção moderna e não tem ainda a duração da vida de um homem, mas neste curto espaço de tempo ele se acumulou tanto que, junto com os gastos correntes, precisa de uma quantia de impostos ao menos igual a todo o arrendamento de terra da nação para cobrir o gasto anual. Que um governo não poderia prosseguir com o mesmo sistema que foi seguido nos últimos setenta anos, deve ser evidente a qualquer homem, e pela mesma razão não pode continuar sempre.

O sistema de fundos não é dinheiro. Também não é, propriamente falando, crédito. Ele, de fato, cria no papel a quantia que quer tomar emprestado e impõe uma taxa para manter vivo o capital imaginário através do pagamento de juros e envia a renda anual ao mercado para ser vendida como papel já em circulação. Se é dado algum crédito, cabe à disposição do povo pagar o imposto e não do governo que o impõe. Quando esta disposição expira, expira também o que se supõe ser o crédito do governo. O exemplo da França no governo anterior mostra que é impossível tirar à força o pagamento de impostos quando toda uma nação decide tomar esta posição.

O Sr. Burke, em sua análise das finanças da França, estabelece a quantidade de ouro e prata na França em cerca de oitenta e oito milhões de libras esterlinas. Ao fazer isto, acho eu, dividiu por uma taxa de câmbio diferente em vez de usar o câmbio oficial de vinte e quatro libras francesas para uma libra esterlina, pois as contas do Sr. Neckar, de que o Sr. Burke tirou as suas, são dois bilhões e duzentos milhões de libras francesas, o que ultrapassa em noventa e um milhões e meio de libras esterlinas.

M. Neckar na França e o Sr. George Chalmers do Office of Trade and Plantation na Inglaterra, cujo presidente é o Lord Hawkesbury, publicaram mais ou menos ao mesmo tempo (1786) um relatório sobre a quantidade de dinheiro em cada nação, a partir dos dados da Casa da Moeda em cada nação. O Sr. Chalmers, a partir dos dados da Casa da Moeda inglesa na Torre de Londres, avalia a quantidade de dinheiro na Inglaterra, incluindo Escócia e Irlanda, em vinte milhões de libras esterlinas.

M. Neckar diz que a quantidade de dinheiro na França, cunhado novamente, pois o antigo foi abolido, era de dois bilhões e quinhentos milhões de libras francesas (mais de cento e quatro milhões de libras esterlinas) e, deduzidas as perdas e o que possa estar nas Índias Ocidentais ou em qualquer outra parte, estabelece a quantidade em circulação na França em noventa e um milhões e meio de libras esterlinas. Considerando o modo como o Sr. Burke apresentou a questão, são sessenta e oito milhões a mais do que a quantidade nacional na Inglaterra.

Que a quantidade de dinheiro na França não pode estar abaixo desta quantia, pode-se ver imediatamente a partir da situação da receita francesa, sem recorrer aos dados da Casa da Moeda francesa como prova. A receita da França, antes da Revolução, era aproximadamente de vinte e quatro milhões de libras esterlinas. Como então os papéis não existiam na França, a receita era totalmente coletada em ouro ou prata e teria sido impossível ter coletado tal quantidade de renda sobre uma quantidade nacional menor do que M. Neckar estabeleceu. Antes de se definir o papel na Inglaterra, a receita era de cerca de um quarto da quantia nacional de ouro e prata, como se pode verificar pela referência à receita anterior ao rei Guilherme e à quantidade de dinheiro que se afirmou que a nação tinha naquele tempo, que era de aproximadamente tanto quanto agora.

Não pode ser realmente útil para uma nação enganá-la ou permitir que ela se engane, Mas os preconceitos de alguns, e a impostura de outros, sempre representaram a França como uma nação possuindo pouco dinheiro, embora a quantidade não seja apenas mais de quatro vezes superior à quantidade da Inglaterra, mas é consideravelmente maior na proporção dos números. Para explicar esta deficiência por parte da Inglaterra, deveriam ser feitas algumas referências ao sistema de fundos. Ele multiplica o papel e o substitui em lugar do dinheiro de várias formas. Quanto mais o papel é multiplicado, mais oportunidades ocorrem para exportar o dinheiro em espécie, e existe a possibilidade (ao ser transformado em notas pequenas) de aumentar o papel até não restar dinheiro nenhum.

Sei que este não é um assunto agradável para os leitores ingleses. Mas os assuntos que passarei a mencionar são tão importantes em si mesmos que exigem a atenção de homens interessados em transações monetárias de natureza pública. M. Neckar cita um fato em seu tratado sobre a administração das finanças ao qual nunca se prestou atenção na Inglaterra mas que é a única base a partir da qual se pode estimar a quantidade de dinheiro (ouro e prata) que deveria haver em cada nação na Europa a fim de preservar a proporção relativa com as outras nações.

Lisboa e Cadiz são os dois portos através dos quais é importado dinheiro, ouro e prata, da América do Sul e que depois é dividido e se espalha pela Europa através do comércio e aumenta a quantidade de dinheiro por toda a Europa. Se, portanto, a quantia anual importada para a Europa pode ser conhecida e a proporção relativa de comércio exterior das diversas nações, pelas quais ela é distribuída, pode ser averiguada, eles dão uma regra suficientemente verdadeira para verificar a quantidade de dinheiro que deveria ser encontrado em cada nação, a qualquer tempo.

M. Neckar mostra, a partir dos registros de Lisboa e Cadiz, que a importação de ouro e prata para a Europa é de cinco milhões de libras esterlinas anualmente. Ele não se baseou num único ano mas sobre a média de 15 anos, de 1763 a 1777, inclusive estes dois anos, durante cujo tempo a quantidade foi de mil e oitocentos milhões de libras francesas, equivalendo a setenta e cinco milhões de libras esterlinas.

Desde o começo da sucessão de Hanover em 1714 até o tempo da publicação do Sr. Chalmers são setenta e dois anos, e a quantidade importada na Europa durante este tempo seria de trezentos e sessenta milhões de libras esterlinas.

Se o comércio da Grã-Bretanha for estabelecido em uma sexta parte do comércio externo total da Europa (o que é uma estimativa considerada pequena pelo pessoal ligado ao setor), a parte da Grã-Bretanha no total deste comércio, mantendo a proporção com o resto da Europa, seria também um sexto, o que equivale a sessenta milhões de libras. Se for feita uma concessão para perdas e acidentes pela Inglaterra como M. Neckar faz para a França, a quantia que resta após estas deduções seria de cinquenta e dois milhões. Esta quantia deveria estar na nação (no tempo da publicação do Sr. Chalmers) mais a soma que estava na nação no início da sucessão Hanover e deveria alcançar ao menos sessenta e seis milhões de libras. Em vez disso, havia apenas vinte e quatro milhões, o que é quarenta e seis milhões abaixo da quantidade proporcional.

Como a quantidade de ouro e prata importada através de Lisboa e Cadiz pode ser verificada com mais exatidão do que qualquer mercadoria importada pela Inglaterra, e como a quantidade de dinheiro cunhado na Torre de Londres é ainda mais positivamente conhecida, os fatos principais não admitem controvérsia. Portanto, ou o comércio da Inglaterra não produz lucro ou o ouro e a prata que entram escoam continuamente de modo invisível numa taxa média de cerca de três quartos de milhão por ano, o que, no decorrer de setenta e dois anos, explica sua falta. Sua ausência é suprida por papel.

A Revolução Francesa ocasionou muitas circunstâncias novas não apenas no âmbito político, mas também nas transações monetárias. Entre outras coisas ela mostrou que um governo pode estar em estado de insolvência e a nação, rica. Restringindo-se o fato ao último governo da França, ele estava insolvente, porque a nação não suportaria mais seus excessos e, portanto, ele não poderia se sustentar a si mesmo – mas em relação à nação existiam todos os meios. Um governo pode ser considerado insolvente toda vez que recorre à nação para pagar os atrasados. A insolvência do governo anterior da França e do atual governo da Inglaterra têm como única diferença a diferença de disposição do povo. O povo da França se recusou a ajudar o antigo governo; o povo da Inglaterra submeteu-se ao imposto sem nenhuma pergunta. A chamada Coroa na Inglaterra esteve insolvente diversas vezes, a última das quais, publicamente conhecida, foi em maio de 1777, quando recorreu à nação para pagar mais de seiscentos mil libras de dívidas privadas que não conseguiria pagar de outro modo.

Foi o erro do Sr. Pitt, do Sr. Burke e de todos aqueles que não estavam familiarizados com os negócios franceses, confundir a nação francesa com o governo francês. A nação francesa, de fato, procurou tornar o último governo insolvente a fim de tomar o governo em suas próprias mãos e guardou os recursos para apoiar o novo governo. Num país com a extensão e a população da França os recursos naturais não podem faltar, e os recursos políticos aparecem no momento em que a nação está disposta a permiti-los. Quando o Sr. Burke, num discurso no último inverno no Parlamento britânico, *lançou seus olhos sobre o mapa da Europa e viu o abismo que fora a França*, ele falou como um visionário de sonhos. A mesma França natural existia como antes e todos os recursos naturais existiam com ela. O único abismo era o da extinção deixada pelo despotismo e que foi preenchido por uma constituição mais formidável em recursos do que o poder que acabara.

Embora a nação francesa tornasse o antigo governo insolvente, ela não permitiu que a insolvência agisse contra os credores. Os credores, considerando a nação como o verdadeiro pagador, e o governo apenas como agente, se apoiaram na nação e não no governo. Isso parece perturbar muito o Sr. Burke, pois o precedente é fatal para a política pela qual os governos se julgam seguros. Eles contraíram dívidas visando a adesão da chamada classe abastada de uma nação em seu apoio. Mas o exemplo da França mostra que a segurança permanente do credor está na nação e não no governo, e que, em todas as possíveis revoluções que podem ocorrer nos governos, os recursos estão sempre com a nação, e a nação sempre existirá. O Sr. Burke argumenta que os credores deveriam sofrer o mesmo destino do governo em quem eles confiavam. Mas a Assembleia Nacional os considerou credores da Nação e não do governo, do senhor e não do criado.

Apesar de o último governo não ter podido pagar as despesas correntes, o atual governo saldou grande parte do capital. Isto foi conseguido por dois meios: diminuindo as despesas do governo e vendendo propriedades rurais monásticas e eclesiásticas. Os devotos e libertinos arrependidos, os violentos e avaros de outros dias, para garantirem um mundo melhor do que o que estavam para deixar, haviam legado imensas propriedades para os padres, para *usos piedosos*, mas os padres ficaram com elas. A Assembleia Nacional ordenou que fossem vendidas para o bem de toda a nação, e que os padres fossem decentemente sustentados.

Em consequência da Revolução, o juro anual da dívida da França será reduzido pelo menos em seis milhões de libras esterlinas, ao se liquidar mais de cem milhões do capital. Assim, a redução das despesas anteriores do governo, pelo menos em três milhões, colocará a França numa situação digna de imitação da Europa.

Feita uma revisão geral do assunto, como é enorme o contraste! Enquanto o Sr. Burke falava de uma falência geral na França, a Assembleia Nacional liquidava o capital de sua dívida, e enquanto os impostos aumentaram quase um milhão por ano na Inglaterra, eles baixaram vários milhões na França. Nenhuma palavra disseram o Sr. Burke ou o Sr. Pitt sobre os negócios da França na atual sessão do Parlamento. O assunto começa a ser bem entendido demais e a impostura já não serve.

Há um enigma que perpassa todo o livro do Sr. Burke. Ele escreve com raiva contra a Assembleia Nacional. Mas, de que ele tem raiva? Se suas asserções fossem tão verdadeiras como são sem fundamento e se a França, com sua Revolução, tivesse aniquilado seu poder e se tornado um *abismo*, como ele chama, provocaria tristeza num francês (considerando-se como homem nacional) e sua raiva contra a Assembleia Nacional. Mas, por que provocar a raiva do Sr. Burke? Não é na nação francesa que o Sr. Burke pensa mas na CORTE, e todas as Cortes na Europa, temendo o mesmo destino, estão se lamentando. Ele não escreve na pessoa de um francês nem de um inglês, mas na pessoa bajuladora daquela criatura conhecida em todos os países, e amiga de ninguém, o *cortesão.* Se for a Corte de Versalhes, ou a Corte de St. James, ou a de Carlton House, ou qualquer outra, não tem importância, pois o princípio da lagarta de todas as cortes e cortesões são semelhantes. Elas formam uma política comum através da Europa, desligada e separada do interesse das nações. Enquanto parecem se desentender, estão de acordo em pilhar. Nada pode ser mais terrível para uma Corte ou um cortesão do que a Revolução da França. O que é uma bênção para as nações é um amargor para eles. Como sua existência depende de enganar um país, eles tremem diante da abordagem de princípios e temem o precedente que ameaça sua ruína.

Conclusão

Razão e Ignorância, opostas entre si, afetam a grande maioria da humanidade. Se qualquer uma delas abranger bem um país, a máquina do governo funciona bem. A Razão obedece a si mesma; a Ignorância se submete a tudo o que lhe é mandado.

Os dois modos de governo que predominam no mundo são:

Primeiro, governo por eleição e representação.

Segundo, governo por sucessão hereditária.

O primeiro é geralmente conhecido pelo nome de República, o último pelo de Monarquia e Aristocracia.

Estas duas formas distintas e opostas erguem-se sobre duas bases distintas e opostas: a Razão e a Ignorância.

Como o exercício do governo requer talentos e capacidades, e como talentos e capacidades não podem ter descendência hereditária, é evidente que a sucessão hereditária requer uma fé por parte do homem que a razão não pode aceitar, e que apenas pode ser estabelecida sobre a ignorância dele. Quanto mais ignorante for um país, mais apto está para esta espécie de governo.

Ao contrário, um governo, numa república bem constituída, não requer fé por parte do homem além da que a razão pode dar.

Ele vê a racionalidade do sistema todo, sua origem e seu modo de atuar. Como ele é melhor apoiado quando melhor entendido, as faculdades humanas agem com intrepidez e adquirem nesta forma de governo uma coragem gigantesca.

Como, portanto, cada forma destas atua em base diferente, uma se movendo livremente com a ajuda da razão, a outra pela da ignorância, devemos em seguida considerar o que move essa espécie de governo chamado governo misto.

O motor desta espécie de governo é a corrupção inevitável. Por mais imperfeitas que possam ser a eleição e a representação nos governos mistos, elas ainda permitem a ação de uma porção de razão maior do que a conveniente para a parte hereditária, tornando-se, portanto, necessário comprar todo o estoque de razão.

Um governo misto é um arranjo imperfeito, cimentando e soldando as partes discordantes pela corrupção a fim de agirem como um todo. O Sr. Burke parece muito desgostoso porque a França, depois que ela se decidiu por uma Revolução, não adotou o que ele chama de *"Constituição Britânica"*, e a maneira lamentável em que ele se expressa a propósito disso levanta suspeita de que a Constituição Britânica precisa de algo para conter seus defeitos.

Em governos mistos não há responsabilidade. As partes se encobrem mutuamente até se perder a responsabilidade. E a Corrupção, que move a máquina, idealiza ao mesmo tempo sua própria fuga. Quando se estabelece como máxima que *um rei não pode cometer erro*, ela o coloca numa situação de segurança semelhante à dos idiotas e das pessoas dementes, e a responsabilidade está fora de questão com relação ao rei.

Então ela recai sobre o ministro, que se protege debaixo da maioria no Parlamento, que ele, através de empregos, pensões e corrupção, pode sempre comandar. Esta maioria se justifica pela mesma autoridade com que protege o ministro. Neste movimento rotativo, a responsabilidade é tirada das partes e do todo.

Haver uma parte no governo que não pode cometer erro implica em que ele não faz nada. Ele é apenas a máquina de outro poder, através de cujo conselho e direção ele atua.

Num governo misto, o gabinete é que funciona como rei. Mas como o gabinete é sempre uma parte do Parlamento, e seus membros justificam sob uma forma o que aconselham ou fazem em outra, um governo misto torna-se um enigma contínuo, impondo a um país, devido à quantidade de corrupção necessária para unir as partes, o custo para sustentar todas as formas de governo ao mesmo tempo, e finalmente reduzindo-as a um governo por comissão, onde os conselheiros, os atores, os aprovadores, os justificadores, os responsáveis e não responsáveis são as mesmas pessoas.

Através desta representação pantomímica e mudança de cenário e personagens, as partes se ajudam mutuamente em questões que nenhuma delas individualmente poderia resolver.

Quando se trata de conseguir dinheiro, as diferenças parecem desaparecer, e as partes trocam entre si uma profusão de elogios parlamentares. Cada um admira com espanto a sabedoria, a liberdade e o desinteresse do outro, e todos soltam suspiros lamentosos pelas dificuldades da nação.

Mas numa república bem constituída não pode ocorrer nada dessas uniões, elogios e lamentações. Sendo igual a representação por todo o país e completa em si mesma, embora estejam divididos em legislativo e executivo, todos têm a mesma origem natural. As partes não são estranhas entre si como a democracia, a aristocracia e a monarquia. Como não há distinções discordantes, não há nada a corromper com compromisso nem confundir com artifício. As medidas públicas são por si mesmas entendidas pela nação e, apoiando-se em seus próprios méritos, repudiam qualquer recurso adulador à vaidade. A queixa contínua lamentando a carga de impostos, embora possa ser praticada com sucesso em governos mistos, é incompatível com o senso e o espírito de uma república. Se os impostos são necessários, eles são naturalmente benéficos, mas se eles requerem uma desculpa, a própria desculpa implica em uma acusação. Por que, então, o homem é enganado ou por que se engana a si mesmo?

Quando se fala de homens como reis e súditos, ou quando o governo é mencionado sob títulos diferentes ou combinados de monarquia, aristocracia e democracia, o que um homem *pensante* entenderá por estes termos? Se realmente existiram no mundo dois ou mais *elementos* distintos e separados do poder humano, veríamos então as diversas origens às quais poderiam ser atribuídos estes termos. Mas como só há uma espécie de homem, só pode haver um elemento de poder humano, e este elemento é o próprio homem. Monarquia, aristocracia e democracia são apenas criações da imaginação; e, assim como se pode inventar três, também se pode inventar milhares delas.

A partir das revoluções da América e da França e dos sintomas que apareceram em outros países, é evidente que a opinião do mundo mudou em relação aos sistemas de governo e que as revoluções não estão no âmbito dos cálculos políticos.

A evolução do tempo e das circunstâncias, que os homens atribuem à realização de grandes mudanças, é por demais mecânica para medir a força da mente e a rapidez da reflexão pelas quais as revoluções são geradas. Todos os antigos governos receberam um choque dos que surgiram e antes eram mais improváveis, e agora são um assunto maior de admiração do que seria uma revolução geral na Europa atualmente.

Quando olhamos a condição miserável do Homem em sistemas monárquicos e hereditários de governo, arrastado de sua casa por um poder, ou dirigido por outro, empobrecido por impostos mais do que por inimigos, torna-se evidente que alguns sistemas são maus e que é necessária uma revolução geral no princípio e na construção de governos.

O que é o governo senão a administração dos negócios de uma nação? Ele não é, e por sua natureza não pode ser, propriedade de algum homem ou família em particular, mas de toda a comunidade, a cujas custas ele é sustentado. Embora possa ser usurpado pela força e por artifício em herança, a usurpação não pode alterar a ordem reta das coisas. A soberania, enquanto direito, pertence apenas à nação e não a nenhum indivíduo. Uma nação tem sempre um direito inerente e indestrutível de abolir qualquer forma de governo que ela considera imprópria, e de estabelecer um de acordo com seu interesse, inclinação e felicidade. A distinção romântica e bárbara dos homens em reis e súditos, embora se adapte à maneira de ser dos cortesãos, não pode se adaptar à dos cidadãos, e é desacreditado pelo princípio em que se fundam os governos agora. Todo cidadão é um membro da sabedoria e, como tal, não pode reconhecer nenhuma sujeição pessoal, e sua obediência só pode ser às leis.

Quando os homens pensam sobre o que é o governo, eles devem necessariamente supor que ele tenha um conhecimento de todos os assuntos sobre os quais exercerá sua autoridade. Nesta visão do governo, o sistema republicano, assim como foi estabelecido pela América e pela França, abrange toda uma nação, e o conhecimento necessário ao interesse de todas as partes será encontrado no centro que formam as partes representativas. Os governos antigos, porém, são formados de tal maneira que exclui tanto o conhecimento como a felicidade. O governo de monges, que nada conhecem do mundo além dos muros de um convento, é tão incoerente como o governo de reis.

O que antigamente chamávamos de revoluções era pouco mais que troca de pessoas ou alteração de circunstâncias locais. Elas subiam e caíam naturalmente e nada havia em sua existência ou em seu destino que tivesse influência além do âmbito em que ocorriam. O que vemos agora no mundo, porém, a partir das revoluções da América e da França, são uma renovação da ordem natural das coisas, um sistema de princípios tão universal como a verdade e a existência do homem, combinando moral com felicidade política e prosperidade nacional.

"1) *Os homens nascem e vivem livres e iguais em direitos. As distinções sociais só podem ter fundamento na utilidade comum.*

2) *O fim de toda associação política é a conservação dos direitos naturais e imprescritíveis do homem. Estes direitos são: a liberdade, a propriedade, a segurança e a resistência à opressão.*

3) *O princípio de toda soberania reside, essencialmente, na Nação. Nenhuma corporação e nenhum indivíduo pode exercer autoridade que dela não derive expressamente*".

Nestes princípios não há nada que lance a Nação em confusão por excitar ambição. Eles pretendem estimular sabedoria e aptidões, e exercê-las para o bem público e não para o proveito e engrandecimento de uma classe particular de homens ou famílias. A soberania monárquica, inimiga da humanidade e fonte da miséria, está abolida. A soberania mesma é devolvida ao seu lugar original, à Nação. Fosse esse o caso em toda a Europa, a causa das guerras estaria eliminada.

Atribuiu-se a Henrique IV da França, homem de coração grande e benevolente, a proposta, por volta de 1610, de um plano para abolir a guerra na Europa. O plano consistia na criação de um Congresso Europeu, ou, como os autores franceses o chamam, uma República Pacífica, indicando delegados das diversas nações que atuariam como uma Corte de Arbitragem em qualquer disputa que pudesse surgir entre uma nação e outra.

Se este plano tivesse sido adotado no tempo em que foi proposto, os impostos da Inglaterra e da França, como dois membros, teriam sido pelo menos dez milhões de libras esterlinas anuais a menos para cada nação do que eles eram no começo da Revolução Francesa.

Para compreender a causa por que tal plano não foi adotado (em vez de um Congresso visando a *evitar* guerra, ele foi convocado apenas para *terminar* uma guerra, depois de um gasto infrutífero de diversos anos), será necessário considerar o interesse dos governos como um interesse distinto do das nações.

Qualquer que seja a causa dos impostos para uma nação, eles são os meios de receita para um governo. Toda guerra termina com um aumento de impostos e, consequentemente, com um aumento de receita. Em qualquer guerra, da maneira como elas são agora iniciadas e concluídas, cresce o poder e o interesse dos governos. A guerra, portanto, pelo seu rendimento, pois ela facilmente dá o pretexto da necessidade de impostos e da criação de empregos e cargos, torna-se a parte principal do sistema do antigo governo. Estabelecer algum modo de abolir a guerra, embora fosse vantajoso para a nação, tiraria do governo o mais lucrativo de seus ramos. Os motivos frívolos para a guerra mostram a disposição e a cobiça dos governos em manter o sistema de guerra e denunciam sua razão de agir.

Por que as repúblicas não estão mergulhadas em guerra, senão porque a natureza de seu governo não permite um interesse distinto do da nação? Até a Holanda, apesar de ser uma república imperfeita e com um comércio que se estende por todo o mundo, passou quase um século sem guerra. No mesmo instante em que a forma de governo mudou na França, os princípios republicanos de paz e prosperidade e economia doméstica ergueram-se com o novo governo. As mesmas consequências seguiriam as mesmas causas em outras nações.

Como a guerra é o sistema de governo do tipo antigo, a animosidade que as nações mantêm entre si não é nada mais do que a política que seus governos estimulam para conservar o espírito do sistema. Cada governo acusa o outro de perfídia, intriga e ambição como um meio para excitar a imaginação de suas respectivas nações e inflamá-las a hostilidades. O homem não é o inimigo do homem a não ser por meio de um falso sistema de governo. Em vez, portanto, de gritar contra a ambição dos reis, o grito deveria ser dirigido contra o princípio de tais governos, e, em vez de procurar reformar o indivíduo, a sabedoria de uma nação deveria se dedicar a reformar o sistema.

A questão aqui não é se as formas e os princípios dos governos ainda existentes se adaptavam à condição do mundo no período em que foram estabelecidos. Quanto mais antigos, menos correspondem ao atual estado de coisas.

Tempo e mudança de circunstâncias e opiniões têm o mesmo efeito progressivo de tornar modos de governo obsoletos como têm sobre costumes e modos de conduta. Agricultura, comércio, manufatura e as artes tranquilas, através das quais é melhor fomentada a prosperidade das nações, requerem um sistema diferente de governo e uma espécie diferente de conhecimento para dirigir suas ações do que os exigidos na condição antiga do mundo.

Como não é difícil perceber, a partir da situação ilustrada da humanidade, que os governos hereditários estão se aproximando de seu declínio e que revoluções em bases amplas da soberania nacional e do governo por representação estão abrindo caminho na Europa, seria um ato de sabedoria antecipar sua chegada e fazer revoluções com razão e acordo e não de modo a provocar convulsões.

Pelo que vemos agora, nenhuma reforma no mundo político deve ser considerada improvável. É uma época de revoluções, na qual tudo pode ser esperado.

A intriga das Cortes, através da qual o sistema de guerra é mantido, pode provocar uma confederação de nações para aboli-la. Um Congresso Europeu para patrocinar o progresso do livre governo e promover a civilização mútua das nações é um acontecimento mais provável do que foram uma vez as revoluções e a aliança da França e América.

PARTE II

Combinando princípios e prática

Carta a M. de la Fayette

Depois de uma convivência de quase quinze anos de difíceis situações na América e de várias consultas na Europa, tenho o prazer de lhe apresentar este pequeno tratado em gratidão por seus serviços à minha querida América e como testemunho de minha estima por suas virtudes, públicas e privadas, que eu sei que o senhor possui.

O único ponto que eu pude descobrir sobre o qual nós discordamos não foi sobre princípios de governo mas sobre o tempo. De minha parte penso que é igualmente prejudicial aos bons princípios permitir que eles sejam protelados como acelerar demais sua execução. O que você supõe que possa ser realizado em quatorze ou quinze anos, julgo praticável num período muito mais breve. A humanidade, pelo que me parece, está sempre bastante madura para entender seu verdadeiro interesse, contanto que ele seja claramente apresentado ao seu entendimento e que de modo algum levante suspeita de um fim em si, nem ofenda por supor demais. Onde desejamos reformar, não devemos censurar.

Quando a Revolução Americana venceu, tive vontade de me sentar calmamente e desfrutar a calma. Parecia-me que nada mais surgiria que fosse grande bastante para me fazer abandonar a tranquilidade e me sentir como me sentira antes. Mas quando o princípio, e não o lugar, é a causa energética da ação, creio que o homem é o mesmo em qualquer lugar.

Mais uma vez estou lidando com as coisas públicas. E como não tenho o direito de esperar tantos anos ainda de vida como o senhor tem, resolvi trabalhar tão depressa quanto posso, e como estou ansioso por sua ajuda e companhia, espero que apresse a execução de seus princípios e chegue aonde cheguei.

Se o senhor fizer uma campanha na próxima primavera, e é muitíssimo provável que não haja ocasião para isso, eu virei me juntar ao senhor. Quando a campanha começar, espero que termine na extinção do despotismo germânico e no estabelecimento da liberdade em toda a Alemanha. Quando a França estiver rodeada de revoluções, ela estará em paz e segurança, e seus impostos, bem como os da Alemanha, serão consequentemente menores.

Seu Amigo sincero e afetuoso,

Thomas Paine.

Londres, 9 de fevereiro de 1792.

Prefácio

Quando comecei o capítulo intitulado *Conclusão*, na primeira parte de *Direitos do Homem*, publicado ano passado, minha intenção era de me estender mais. Mas, ao meditar sobre todo o assunto que eu queria acrescentar, achei que tornaria o livro volumoso demais, ou abreviaria demais meu plano. Encerrei o assunto, portanto, assim que pude e guardei o que tinha a dizer a mais para uma outra oportunidade.

Diversas outras razões contribuíram para eu tomar esta decisão. Eu queria saber o modo com que um livro, escrito num estilo de reflexão e expressão diferente do que era costumeiro na Inglaterra, seria recebido antes de eu prosseguir. Um grande campo foi-se abrindo à visão da humanidade através da Revolução Francesa. A oposição ultrajosa do Sr. Burke trouxe a controvérsia para a Inglaterra. Ele atacou princípios cuja contestação de minha parte ele sabia (por informação), porque são princípios que acredito serem bons e eu contribuí para estabelecer, e me considerava obrigado a defender. Se ele não tivesse provocado a controvérsia, eu muito provavelmente teria sido um homem silencioso.

Outra razão para adiar o restante do livro foi porque o Sr. Burke prometeu, em sua primeira publicação, retomar o assunto em outra oportunidade e fazer uma comparação entre o que ele chamava de constituição inglesa e francesa. Por isso fiquei em atitude de reserva diante dele. Desde então ele publicou duas obras, sem cumprir o prometido. Ele certamente não teria deixado de fazê-lo se a comparação estivesse a seu favor.

Em sua última obra, seu *Apelo dos novos aos antigos Whigs*[3], ele citou cerca de dez páginas dos *Direitos do homem*; tendo-se dado ao trabalho de fazer isso, ele diz que "não tentará em nada refutá-los", isto é, os princípios ali contidos. Conheço bastante o Sr. Burke para saber que ele faria se pudesse. Em vez de contestá-los, logo depois se consola dizendo que "fez a parte dele". Não fez a parte dele. Não cumpriu sua promessa de uma comparação das constituições. Iniciou a controvérsia, fez o desafio, e fugiu dele. Ele é agora um exemplo, com sua opinião, de que *"a época da cavalaria acabou!"*

Tanto o título como o conteúdo de sua última obra, seu *Apelo*, é sua condenação. Os princípios devem se basear em seus próprios méritos, e, se são bons, certamente estarão. Colocá-los ao abrigo da autoridade de outros homens, como faz o Sr. Burke, serve apenas para torná-los suspeitos. O Sr. Burke não gosta muito de dividir suas honras, mas neste caso ele astuciosamente divide a desgraça.

Quem são aqueles a quem o Sr. Burke faz o seu apelo? Um grupo de pensadores infantis, políticos parciais nascidos no século passado, homens que não foram avante com seus princípios além do que era conveniente para seus propósitos como partido. A nação era deixada sempre de fora. E esta foi a característica de todos os partidos desde aquele dia até este. A nação não vê nada em tais obras e em tais

---

3 *Whig*: abreviação de *Whiggamore*: membro de um grupo escocês que marchou sobre Edinburgh em 1648 para se opor ao partido da Corte. Daí: membro de um grupo político britânico do século XVIII e começo do século XIX que procurava limitar a autoridade real e aumentar o poder do Parlamento.

políticas digno de sua atenção. Um assunto pequeno mobiliza um partido, mas precisa ser algo grande para mobilizar uma nação.

Embora não veja nada no *Apelo* do Sr. Burke que mereça atenção, há, contudo, uma expressão sobre a qual farei algumas observações. Depois de citar boa parte dos *Direitos do homem*, e desistir de contestar os princípios contidos naquela obra, ele diz: "Que muito provavelmente será feito *(se tais escritos forem considerados merecedores de qualquer outra refutação além da justiça criminal)* por outros que pensam do mesmo modo que o Sr. Burke e com o mesmo zelo".

Em primeiro lugar, isso ainda não foi feito por ninguém. Creio que não foram menos do que oito ou dez os panfletos que pretendiam ser respostas à primeira parte dos *Direitos do homem*, publicados por diferentes pessoas, e pelo que eu saiba nenhum deles alcançou uma segunda edição nem sequer seus títulos são geralmente lembrados. Como sou contrário a multiplicar desnecessariamente publicações, não respondi a nenhum deles. Como creio que um homem pode escrever para defender ele mesmo sua reputação quando ninguém mais pode fazê-lo, cuido muito em evitar este recife.

Assim como evito publicações desnecessárias, por um lado, evito tudo o que possa aparentar um orgulho obstinado, por outro. Se o Sr. Burke, ou qualquer pessoa de seu lado, apresentar uma resposta aos *Direitos do homem* que alcance a metade ou até mesmo a quarta parte do número de exemplares que os *Direitos do homem* atingiram, eu responderei à sua obra. Mas até isso acontecer, terei a opinião do público como meu guia (e todos sabem que eu não sou um adulador), pois o que o público acha que não vale a pena ler não merece a minha resposta. Suponho que o número de exemplares que a primeira parte dos *Direitos do homem* alcançou, incluindo Inglaterra, Escócia e Irlanda, não é inferior a quarenta ou cinquenta mil.

Farei agora uma observação sobre a parte restante da citação que fiz do Sr. Burke.

"Se", diz ele, "tais escritos forem considerados merecedores de qualquer outra refutação além da justiça *criminal*".

Com perdão do trocadilho, seria de fato justiça *criminosa* se condenasse uma obra, substituindo a refutação dela pela condenação, por não ter sido capaz de refutá-la. A pior condenação que poderia sofrer seria a refutação. Procedendo pelo método a que se refere o Sr. Burke, a condenação entraria, afinal de contas, na parte de criminalidade do processo e não da obra e, neste caso, eu preferiria ser o autor a ser o juiz ou o júri que a condenaria.

Entrando de uma vez no assunto, eu tenho discordado de alguns senhores profissionais sobre o modo de praticar a justiça e, como creio que minha opinião continua correta, apresentá-la-ei tão completa quanto concisamente puder.

Em primeiro lugar apresentarei um caso relacionado a qualquer lei, depois compará-lo-ei com o governo, ou o que na Inglaterra é, ou foi, chamado de constituição.

Poderia ser um ato de despotismo, ou o que na Inglaterra é chamado de poder arbitrário, fazer uma lei proibindo investigar os princípios, bons ou maus, sobre os quais se fundamenta esta ou qualquer outra lei.

Se uma lei é má, uma coisa é se opor à sua prática, e outra bem diferente é expor seus erros, meditar sobre seus defeitos e provar por que deveria ser revogada, ou por que deveria ser substituída por outra. Eu sempre defendi a opinião (tornando-a prática minha) de que é melhor obedecer a uma lei má, fazendo uso ao mesmo tempo de todos os argumentos para mostrar seus erros e conseguir sua revogação, do que violá-la pela força, pois o precedente de infringir uma lei má poderia enfraquecer a força e conduzir a uma violação discricionária das que são boas.

O caso é o mesmo em relação aos princípios e formas de governo ou ao que se chama de constituições e as partes que as compõem.

É para o bem da nação e não para o proveito ou engrandecimento de indivíduos particulares que o governo deve ser constituído e a humanidade arcar com os gastos para sustentá-lo. Os defeitos de qualquer governo ou constituição, tanto em relação ao princípio quanto à forma, devem estar abertos à discussão tanto quanto os defeitos de uma lei, e é um dever de todo homem na sociedade apontá-los. Quando estes defeitos e os meios de remediá-los são percebidos por uma nação em geral, esta nação reformará seu governo ou sua constituição num caso, como o governo revogou ou reformou a lei no outro. A ação do governo se restringe a fazer e administrar leis; mas é à nação que pertence o direito de formar e reformar, gerar e regenerar constituições e governos. Consequentemente, esses assuntos, como questões de investigação, pertencem sempre a um país como *questão de direito* e não podem, sem invadir os direitos gerais de um país, serem objeto de ação legal. Neste campo eu me defronto com o Sr. Burke onde ele quiser. É melhor que apareça todo o argumento do que procurar sufocá-lo. Foi ele mesmo que iniciou a controvérsia e não devia fugir dela.

Não creio que a monarquia e a aristocracia continuem por mais sete anos em qualquer país esclarecido da Europa. Se melhores argumentos puderem ser apresentados a favor deles do que contra eles, eles permanecerão, caso contrário desaparecerão. Não se pode mais dizer para a humanidade o que ela não pode pensar ou o que ela não pode ler. Publicações que não chegam a investigar princípios de governo, a convidar os homens a raciocinar e refletir e a mostrar os erros e excelências dos diversos sistemas não têm o direito de aparecer. Se elas não despertam a atenção, não merecem o incômodo de uma ação legal e se movem ação legal, esta não leva a nada, pois não pode proibir a leitura. Seria uma sentença contra o público e não contra o autor, e seria o modo mais eficaz de fazer ou apressar revoluções.

Em casos que se aplicam universalmente a uma nação com relação a sistemas de governo, um júri de *doze* homens não é competente para decidir. Onde não há nenhuma testemunha para ser interrogada, nenhum fato a ser provado e onde toda a questão está diante de todo o público, e os méritos e deméritos dela residem na opinião deste público, e onde nada é preciso ser conhecido pela corte porque todo mundo já sabe, um júri de doze homens é tão bom como qualquer outro e provavelmente revogaria o veredito de qualquer outro, ou, devido à diversidade de opiniões entre si, não seria capaz de chegar a nenhum. Se uma nação aprova uma obra ou um plano, é um caso, mas é um caso bem diferente se ela confia a um tal júri o poder de determinar se aquela nação tem direito a reformar ou não o seu governo. Menciono estes casos para o Sr. Burke ver que eu não escrevi sobre governo sem refletir sobre o que é lei, bem como sobre o que é direito. O único júri efetivo em tais casos seria uma convenção regularmente eleita por toda a nação porque nestes casos toda a nação é envolvida. Se o Sr. Burke propuser um júri destes, renunciarei a todos os privilégios de ser cidadão de outro país e, defendendo os princípios desse país, aceitarei o resultado, contanto que o Sr. Burke faça o mesmo; porque minha opinião é que a obra dele e os princípios dele seriam condenados em vez dos meus.

Quanto aos preconceitos que os homens têm por educação e por hábito, a favor de qualquer forma ou sistema particular de governo, estes preconceitos ainda têm que resistir à prova da razão e da reflexão. De fato, estes preconceitos nada são. Nenhum homem se envolve preconceituosamente a favor de alguma coisa que sabe estar errada. Ele se liga a esta coisa, acreditando que ela é certa e, quando percebe que não é, o preconceito desaparece. Temos apenas uma ideia imperfeita do que é o preconceito. Poder-se-ia dizer que, enquanto os homens não pensarem por si mesmos, tudo é preconceito, e *não opinião*, pois só é opinião o que é resultado de raciocínio e reflexão. Faço estas observações para que o Sr. Burke não confie demais naquilo que foram preconceitos costumeiros de nosso país.

Não creio que o povo da Inglaterra sempre tenha sido tratado com justiça e sinceridade. A ele se impuseram partidos e homens que assumiram o papel de líderes. Já é tempo de a nação se insurgir contra estas ninharias. É tempo de rejeitar esta desatenção que por tanto tempo encorajou o aumento excessivo dos impostos. Está na hora de acabar com todas essas superficialidades que têm como objetivo escravizar e sufocar a reflexão. Em todas estas questões os homens precisam apenas pensar, e não serão enganados nem desencaminhados. Dizer que um povo não está apto para a liberdade é afirmar que ele escolheu a pobreza e que prefere ser onerado de impostos. Se este exemplo pudesse ser provado, provaria também que todos os que o governam não estão aptos para governá-lo, pois eles fazem parte da mesma massa nacional.

Admitindo porém que os governos devem ser mudados em toda a Europa, isso certamente será feito sem convulsão ou vingança. Não vale a pena fazer mudanças ou revoluções se não for para grande benefício da nação. Quando uma nação chegar a esta conclusão, o perigo será, como na América e na França, para aqueles que se opõem. Com esta reflexão encerro o meu prefácio.

Londres, 9 de fevereiro de 1792.

Thomas Paine

Introdução

O que Arquimedes disse das forças mecânicas pode ser aplicado à razão e à liberdade: *"Dê-me um ponto de apoio e moverei o mundo"*.

A revolução da América mostrou na política o que era apenas teoria na mecânica. Os governos do velho mundo estavam tão profundamente enraizados, a teoria e a antiguidade dos costumes tinha se estabelecido tão eficazmente sobre a mente, que de modo algum podia se começar na Ásia, África ou Europa a reformar a condição política do homem. A liberdade fora perseguida em todo o globo; a razão era considerada rebelião; e a escravidão do medo fizera os homens ter medo de pensar.

A natureza da verdade, porém, é tão irresistível, que sua única exigência e necessidade é a liberdade de aparecer. O sol não precisa de uma ordem escrita para se distinguir das trevas. Mal os governos americanos começaram a se mostrar ao mundo, o despotismo sentiu um choque e o homem começou a pensar em reforma.

A independência da América, considerada apenas como uma separação da Inglaterra, teria sido um assunto de pouca importância se não tivesse sido acompanhada por uma revolução nos princípios e na prática dos governos. Ela conquistou uma posição, não para ela apenas mas para todo o mundo, e olhava para além das vantagens que ela mesma receberia. Até os mercenários alemães, embora contratados para lutar contra ela, podem viver para bendizer sua derrota; e a Inglaterra, condenando a depravação de seu governo, se alegra com o seu malogro.

Sendo a América o único local no mundo político onde os princípios de uma reformulação universal poderiam começar, era também o melhor no mundo natural. Um conjunto de circunstâncias conspirou não apenas para fazer nascer mas também para dar uma maturidade gigantesca a seus princípios. O espetáculo que este país apresenta a quem o vê contém algo que cria e encoraja grandes ideias. A natureza se lhe apresenta aumentada. Os objetos poderosos que ele contempla atuam sobre sua mente tornando-a maior e ele partilha da grandeza que contempla. Seus primeiros colonos foram imigrantes de diversas nações europeias, de diferentes profissões e religiões, que fugiram da perseguição do governo do velho mundo e se encontraram no novo não como inimigos mas como irmãos. As necessidades que acompanham o cultivo de uma terra selvagem produziram entre eles um estado de sociedade que países há muito tempo fustigados com querelas e intrigas de governos tinham deixado de fomentar. Em tais situações o homem se torna o que ele quer. Ele vê sua espécie não com a ideia inumana de um inimigo natural mas como da mesma natureza. O exemplo mostra ao mundo artificial que o homem deve voltar à natureza para buscar informação.

A partir do progresso rápido que a América faz em toda espécie de melhoramentos, é justo concluir que, se os governos da Ásia, África e Europa tivessem começado baseados em um princípio semelhante ao da América, ou não tivessem se corrompido bem cedo, estes países estariam atualmente numa situação muito superior à que estão. Eras após eras se passaram e apenas puderam contemplar a miséria deles. Suponhamos um espectador que não soubesse nada sobre o mundo e fosse colocado no mundo apenas para observá-lo. Ele tomaria grande parte do velho mundo como nova devido à sua luta com as dificuldades e os trabalhos de uma colonização incipiente. Ele não poderia imaginar que as hordas de pobres miseráveis, abundantes nos velhos países, pudessem ser outras senão aquelas que não tiveram ainda tempo para prover suas necessidades. Dificilmente poderia pensar que elas são consequência daquilo que nestes países se chama governo.

Se, desde as partes mais miseráveis do velho mundo, olharmos para aqueles que estão num estágio mais avançado de melhoramento, ainda encontraremos a mão voraz do governo metendo-se em cada canto e fenda da indústria e espoliando a multidão. A invenção é continuamente exercida para fornecer novos pretextos para receita e criação de impostos. Ele observa a prosperidade como sua presa e não permite que nenhuma escape sem pagar tributo.

Uma vez que as revoluções começaram (e como a probabilidade é sempre maior contra uma coisa começar do que prosseguir depois de ter começado), é natural esperar-se que outras revoluções seguirão. Os assombrosos e ainda crescentes gastos com que são conduzidos os velhos governos, as numerosas guerras em que eles entram ou que provocam, os obstáculos que colocam no caminho da civilização e do comércio universais e a opressão e usurpação que praticam em casa esgotaram a paciência e exauriram a propriedade do mundo. Em tal situação, e com exemplos já existentes, as revoluções devem ser procuradas. Elas se tornaram assunto de conversa geral e podem ser consideradas como a *ordem do dia*.

Se puderem ser introduzidos sistemas de governo menos custosos e mais produtores de felicidade geral do que os já existentes, todas as tentativas de se opor ao progresso deles acabarão sendo infrutíferas. A razão, como o tempo, fará seu próprio caminho e o preconceito entrará em combate com o interesse. Para a paz, a civilização e o comércio universais se tornarem a feliz sorte da humanidade não há outro meio de o conseguir senão por uma revolução no sistema de governos. Todos os governos monárquicos são militares. A guerra é seu comércio, saque e receita seu objetivo. Enquanto durarem tais governos, a paz não terá a segurança sequer de um dia. O que é a história de todos os governos monárquicos senão um quadro repugnante da miséria humana com intervalos acidentais de repouso de alguns anos? Esgotados pela guerra e cansados com a carnificina humana, sentam-se para descansar, e chamam isto de paz. Esta não é certamente a situação que o céu quis para o homem; e se *monarquia é isto*, bem que poderia ser contada entre os pecados dos judeus.

As revoluções que antigamente ocorreram na humanidade não continham nada que interessasse à maior parte da humanidade. Elas visavam apenas a mudar pessoas e medidas, mas não os princípios, e faziam parte das transações comuns do momento. O que agora vemos não pode ser propriamente chamado de *contrarrevolução.* Conquista e tirania, num período inicial, privaram o homem de seus direitos e ele agora os está recuperando. Assim como a maré dos afazeres humanos tem sua alta e sua baixa, correndo uma em direção contrária à outra, acontece o mesmo aqui. Um governo fundamentado sobre uma *teoria moral, sobre um sistema de paz universal, sobre direitos humanos hereditários indestrutíveis*, está girando agora do oeste para o leste com um impulso mais forte do que o governo da espada girou do leste para o oeste. Ele não interessa aos indivíduos em particular, são as nações que estão interessadas em seu progresso e ele promete uma nova era para a raça humana.

O maior perigo a que está exposto o sucesso das revoluções é o de tentá-las antes que os princípios dos quais procedem e as vantagens que provêm deles sejam suficientemente vistos e entendidos. Quase tudo o que se relaciona com uma nação foi absorvido e confundido sob a palavra geral e misteriosa de *governo*. Embora ele evite reconhecer os erros que comete e os males que ocasiona, não deixa de atribuir a si tudo o que tem aspecto de prosperidade. Ele despoja a indústria de suas honras, pedantescamente se fazendo a causa de seus efeitos; rouba do homem os méritos que lhe pertencem como ser social.

Seria portanto útil neste tempo de revoluções distinguir entre as coisas que são efeito do governo e as que não são. Isto seria melhor feito examinando-se a sociedade e a civilização e as consequências resultantes disto, como coisas distintas daquilo que é chamado governo. Para começar com esta investigação, deveremos ser capazes de atribuir os efeitos à sua causa verdadeira e analisar o conjunto dos erros comuns.

Capítulo I
Da sociedade e da civilização

Grande parte desta ordem reinante entre a humanidade não é causada pelo governo. Tem sua origem nos princípios da sociedade e na constituição natural do homem. Ela existiu antes do governo e continuaria existindo se a formalidade do governo fosse aholida. A dependência mútua e o interesse recíproco que o homem tem em relação ao homem, e todas as partes de uma comunidade civilizada em relação a cada uma, criam a grande corrente que a mantém unida. O proprietário de terra, o fazendeiro, o industrial, o mercador, o comerciante, e qualquer ocupação, prospera com a ajuda que cada um recebe do outro e do todo. O interesse comum regula seus negócios e dá forma a suas leis; e as leis decretadas pelo uso comum têm uma influência maior do que as leis do governo. Em resumo, a sociedade realiza por si mesma quase tudo o que é atribuído ao governo.

Para entender a natureza e a quantidade de governo adequada ao homem é necessário prestar atenção ao seu caráter. Como a natureza o criou para a vida social, adaptou-o à posição. pretendida por ela. Ela tornou em todos os casos as necessidades naturais dele maiores do que seus poderes individuais. Nenhum homem é capaz de suprir suas necessidades próprias sem a ajuda da sociedade; e estas necessidades, atuando sobre cada indivíduo, os impelem todos para a sociedade, como a gravidade atrai naturalmente para um centro.

Mas ela foi além. Não apenas forçou o homem para a sociedade através de diversas necessidades, que a ajuda recíproca de cada um pode suprir, mas também implantou nele um sistema de afeições sociais que, embora não necessárias para sua existência, são essenciais para sua felicidade. Não há nenhum período na vida em que este amor pela sociedade cessa de agir. Ele começa e termina com nosso ser.

Se examinarmos atentamente a composição e a constituição do homem, a diversidade das necessidades e talentos nos diferentes homens para conciliar reciprocamente as necessidades de cada um, sua propensão para a sociedade e, consequentemente, para preservar as vantagens resultantes disto, descobriremos facilmente que grande parte daquilo que se chama governo é mera imposição.

O governo é necessário apenas para suprir os poucos casos em que a sociedade e a civilização não são suficientemente competentes, e não faltam exemplos para mostrar que tudo o que o governo pode acrescentar de útil a isso tem sido realizado pelo consenso comum da sociedade, sem governo.

Mais de dois anos depois de iniciada a Guerra Americana, e por um período mais longo ainda em diversos Estados americanos, não havia formas estabelecidas de governo. O governo antigo tinha sido abolido e o país estava ocupado demais em se defender para se preocupar em estabelecer novos governos. Contudo, durante este intervalo a ordem e a harmonia estiveram preservadas tão invioláveis como em qualquer país na Europa. Há uma aptidão natural no homem, e mais ainda na sociedade, pois ela abrange uma variedade maior de habilidades e recursos de se adaptar a qualquer situação em que se encontrar. No momento em que o governo formal é abolido, a sociedade começa a agir: começa uma associação geral e o interesse comum produz segurança comum.

Está tão longe de ser verdadeiro, como se pretendeu, que a abolição de todo governo formal é a dissolução da sociedade, pois ela age por um impulso contrário e faz a sociedade se unir mais. Toda aquela parte de sua organização que ela entregou a seu governo volta para ela e age por seu meio. Quando os homens, tanto por instinto natural como por benefícios recíprocos, se acostumaram à vida social e civilizada, sempre há suficientes princípios em prática para levá-los através de quaisquer mudanças que eles julgarem necessárias ou conveniente fazer em seu governo. Em resumo, o homem é tão naturalmente uma criação da sociedade que é quase impossível pô-lo fora dela.

Um governo formal realiza apenas uma pequena parte da vida civilizada; e quando até o melhor que a sabedoria humana pode conceber está estabelecido, é algo mais de nome e ideia do que de fato. A segurança e a prosperidade do indivíduo e de tudo dependem dos grandes e fundamentais princípios da sociedade e da civilização; do uso comum com o qual se concorda universalmente e que é mantido mútua e reciprocamente; da circulação incessante de interesse que, passando por seus milhões de canais, fortalece a totalidade do homem civilizado; é destas coisas, infinitamente mais do que de qualquer uma que até o mais bem constituído governo pode realizar, que elas dependem.

Quanto mais perfeita a civilização, menos oportunidade há para o governo porque ela regulamenta seus próprios negócios e o governo mesmo. Mas a prática dos velhos governos é tão contrária a este raciocínio que suas despesas aumentam na proporção que deveriam diminuir. A vida civilizada requer apenas umas poucas leis gerais com uma utilidade comum tal que, postas em vigor pelas formas de governo ou não, o efeito será praticamente o mesmo. Se considerarmos quais os princípios que condensam primeiro os homens na sociedade e quais os motivos que regulam suas relações mútuas depois, veremos, ao chegarmos àquilo que é chamado governo, que quase a totalidade dos negócios é realizada pela operação natural das partes entre si.

A respeito de todas estas questões, o homem é mais criatura da consistência do que ele está consciente, ou que os governos gostariam que ele acreditasse. Todas as grandes leis da sociedade são leis da natureza. As leis dos negócios e do comércio, seja com respeito às relações entre indivíduos ou nações, são leis de interesses mútuos e recíprocos. Elas são seguidas e obedecidas porque é do interesse das partes agir assim e não devido a qualquer lei formal que seu governo possa impor ou interpor.

Quantas vezes porém a tendência natural para a sociedade é perturbada ou destruída pela ação do governo! Quando este, em vez de estar enxertado nos princípios daquela, pretende existir por si mesmo e age de modo parcial através de favor e opressão, ele se torna a causa dos males que deveria evitar.

Se reexaminarmos as revoltas e tumultos que em várias ocasiões ocorreram na Inglaterra, veremos que eles não provêm da falta de um governo mas o próprio governo era sua causa geradora: em vez de consolidar a sociedade, ele a dividia; ele a privava de sua coesão natural e gerava descontentes e desordeiros, os quais de outro modo não existiriam. Naquelas associações que os homens formam mistamente com o propósito de comércio ou de qualquer negócio em que o governo é totalmente deixado de lado e onde eles atuam apenas a partir dos princípios da sociedade, vemos com que naturalidade as várias partes se unem. Isso mostra, por comparação, que os governos, muito longe de serem sempre as causas e os meios da ordem, são muitas vezes a sua destruição. Os tumultos de 1780 não tiveram outra fonte senão os restos daqueles preconceitos que o próprio governo encorajou. Mas, com relação à Inglaterra, há também outras causas.

Excesso e desigualdade de impostos, embora disfarçados nos meios, nunca deixam de aparecer em seus efeitos. Como através disso uma grande parte da comunidade é lançada na pobreza e no descontentamento, eles estão constantemente à beira da revolta. Privados, como infelizmente estão, dos meios de informação, facilmente são excitados ao ultraje. Qualquer que seja a causa aparente de qualquer revolta, a verdadeira é sempre a falta de felicidade. Mostra que algo está errado no sistema de governo e que prejudica a felicidade pela qual a sociedade deve ser preservada.

Sendo o fato superior ao raciocínio, o exemplo da América se apresenta para confirmar estas observações. Se há um país no mundo onde a concórdia, de acordo com o cálculo comum, seria menos de se esperar, é a América. Composta como ela está de pessoas de diferentes nações, acostumados a formas e hábitos de governo diferentes, falando línguas diferentes e mais diferentes em seus modos de cultuar, pareceria que a união de um tal povo era impraticável. Mas pelo simples ato de construir um governo sobre os princípios da sociedade e dos direitos do homem, qualquer dificuldade desaparece e todas as partes se unem cordialmente. Lá os pobres não são oprimidos, os ricos não têm privilégios. A indústria não é mortificada pela extravagância ostentosa de uma corte se divertindo às suas custas. Os impostos são poucos porque seu governo é justo. Nada há que os torne infelizes, nada que crie revoltas e tumultos.

Um homem metafísico, como o Sr. Burke, teria torturado sua imaginação para descobrir como um povo assim seria governado. Ele teria suposto que alguns poderiam ser manipulados pela fraude, outros pela força e todos por algum artifício; que o gênio deveria ser empregado para se impor à ignorância, o espetáculo e a parada para fascinar o vulgar. Perdido na abundância de suas pesquisas, ele teria analisado e reanalisado e finalmente ignorado o caminho plano e fácil que estava diretamente em sua frente.

Uma das grandes aventuras da Revolução Americana foi ter levado à descoberta dos princípios e manifestado a impostura dos governos. Todas as revoluções até então tinham sido feitas dentro da pequena esfera de uma corte e nunca no grande chão de uma nação. As facções eram sempre da classe dos cortesãos, e qualquer que fosse a vontade de reforma, eles preservavam cuidadosamente a fraude da profissão.

Em todos os casos eles tomavam cuidado em representar o governo como algo feito de mistérios que só eles entendiam. Escondiam da compreensão da nação a única coisa que era bom saber: *que o governo não é nada mais do que uma associação nacional agindo com base nos princípios da sociedade.*

Tendo assim conseguido mostrar que a situação social e civilizada do homem é capaz de realizar em si mesma tudo o que é necessário para sua proteção e governo, será conveniente examinar os atuais velhos governos para ver se seus princípios e prática correspondem a isto.

Capítulo II
Da origem dos atuais velhos governos

É impossível que governos como os que existiram até agora no mundo tenham começado de qualquer modo senão por uma violação total de qualquer princípio, sagrado e moral. A obscuridade em que jaz a origem de todos os atuais governos implica a iniquidade e a desgraça com que iniciaram. A origem do atual governo da América e da França sempre será lembrada porque é honroso recordá-lo mas, com relação ao resto, a bajulação contínua os entregou ao túmulo do tempo, sem epitáfio.

Para bandidos e assaltantes não deve ter sido coisa muito difícil, nas primeiras e solitárias épocas do mundo, enquanto a principal ocupação dos homens era cuidar de rebanhos e manadas, percorrer um território e sujeitá-lo a contribuições. Estabelecido assim o poder deles, o chefe do bando inventou de trocar o nome de salteador para o de monarca. Daí a origem da monarquia e dos reis.

A origem do governo da Inglaterra, na medida em que está relacionada com aquilo que se chama sua linha monárquica, sendo uma das últimas, talvez seja a melhor registrada. O ódio que a invasão normanda e a tirania produziram deve estar profundamente enraizado na nação para sobreviver à ideia de eliminá-lo. Embora nenhum cortesão fale do toque de recolher, nenhuma aldeia na Inglaterra o esqueceu.

Tendo estes bandos de assaltantes dividido e distribuído o mundo em domínios, começaram, como é natural, a se desentender entre si. O que a princípio foi obtido pela violência, outros consideraram legal tomar, e uma segunda pilhagem sucedeu-se à primeira. Alternadamente invadiam os domínios que cada um reservara para si e a brutalidade com que se tratavam uns aos outros explica o caráter original da monarquia. Era salteador torturando salteador. O conquistador considerava o conquistado não como seu prisioneiro mas como uma propriedade. Ele o levava em triunfo no ruído das correntes e o condenava, à vontade, à escravidão ou à morte. Como o tempo apagou a história de seus inícios, os sucessores tomaram novas aparências para eliminar o legado de sua vergonha, mas seus princípios e objetivos continuaram os mesmos. O que a princípio era pilhagem assumiu um nome mais brando de receita, e eles fingiram herdar o poder originalmente usurpado.

O que se poderia esperar de um tal início de governo senão um sistema contínuo de guerra e extorsão? Ele se tornou um negócio. O vício não é mais peculiar a um do que a outro, mas é o princípio comum de todos. Não há força vital suficiente em tais governos para enxertar uma reforma, e o remédio mais curto, mais fácil e mais eficaz é começar de novo com o discurso.

Quantas cenas de horror, que perfeição na iniquidade se apresentam ao contemplar o modo de ser e ao examinar a história de tais governos! Se delineássemos a natureza humana em sua baixeza e hipocrisia de tal modo que o reflexo tremesse e a humanidade rejeitasse, seriam reis, cortes e gabinetes que deveriam posar para o retrato. O homem, do modo natural como ele é, com todos os seus defeitos, não está apto para o papel.

Podemos possivelmente supor que, se o governo tivesse se originado de um princípio reto, e não tivesse interesse em seguir um errado, o mundo teria estado numa situação infeliz e turbulenta que temos visto? Qual o incentivo do agricultor que está arando em deixar de lado sua atividade pacífica e ir guerrear contra o fazendeiro de outro país? Qual o incentivo do industrial? O que é domínio para eles, ou para qualquer classe de homens numa nação? Isso acrescenta um acre à propriedade de um homem ou aumenta seu valor? Não têm a conquista e a derrota o mesmo preço, e os impostos a consequência que nunca falha? Embora este raciocínio seja bom para uma nação, não é bom para um governo. A guerra é o farol do governo e as nações são ludibriadas.

Se há algo a se admirar nesta cena triste de governos além do que seria de se esperar é o progresso que as artes pacíficas da agricultura, manufatura e do comércio fizeram depois de tão sobrecarregados de desânimo e opressão. Serve para mostrar que o instinto não atua com um impulso maior nos animais do que os princípios da sociedade e da civilização atuam no homem. Apesar de todo o desencorajamento, ele persegue seu objetivo e não se rende a nada a não ser às impossibilidades.

Capítulo III
Dos antigos e novos sistemas de governo

Nada pode parecer mais contraditório do que os princípios a partir dos quais começaram os velhos governos e a situação para a qual a sociedade, a civilização e o comércio são capazes de levar a humanidade. No antigo sistema o governo é uma apropriação do poder para engrandecimento próprio; no novo sistema, uma delegação de poder para o benefício comum da sociedade. O primeiro se sustenta mantendo um sistema de guerra, o último promove um sistema de paz como o verdadeiro meio de enriquecer uma nação. Um encoraja preconceitos nacionais, o outro promove a sociedade universal como meio para o comércio universal. Um mede sua prosperidade pela quantidade de receita que arranca, o outro prova sua excelência pela pequena quantidade de impostos que requer.

O Sr. Burke falou de velhos e novos *whigs*. Se ele pode se divertir com nomes e distinções infantis, não interromperei seu prazer. Não é a eles mas ao Abbé Sieyes que eu dirijo este capítulo. Já comecei a discutir com este último cavalheiro a questão do governo monárquico e, como naturalmente ocorre ao comparar sistemas antigos e novos, aproveito a oportunidade de lhe dedicar minhas observações. Ocasionalmente toparei com o Sr. Burke.

Embora possa ser provado que o sistema de governo agora chamado *novo* seja em princípio mais antigo do que todos os que existiram, sendo fundado nos direitos do homem originais e inerentes, contudo, como a tirania e a espada suspenderam o exercício daqueles direitos durante muitos séculos, tendo em vista a distinção, é melhor chamá-lo *novo* do que exigir o direito de chamá-lo velho.

A primeira distinção geral entre estes dois sistemas é que o agora chamado velho é *hereditário*, seja no todo ou em parte, e o novo é inteiramente *representativo.* Ele rejeita todo governo hereditário, pelos seguintes motivos:

Primeiro, por ser uma imposição à humanidade.

Segundo, por ser inadequado à finalidade para a qual o governo é necessário.

Quanto ao primeiro ponto, não pode ser provado por qual direito hereditário o governo começaria, nem existe no âmbito do poder mortal um direito de estabelecer isso. O homem não tem nenhuma autoridade sobre a posteridade em questões de direito pessoal. Portanto, nenhum homem ou grupo de homens teve, ou pode ter, direito de instituir governo hereditário. Mesmo que voltássemos de novo à existência, em vez de sermos sucedidos pela posteridade, não teríamos agora o direito de tirar de nós mesmos os direitos que então seriam nossos. Baseados em quê, portanto, pretendemos tirá-los dos outros?

Todo governo hereditário é em sua natureza tirania. Uma coroa hereditária, ou um trono hereditário, ou seja qual for o nome imaginário que se dê a tais coisas, não tem outra explicação senão que a humanidade é uma propriedade herdável. Herdar um governo é herdar o povo, como se os povos fossem rebanhos ou manadas.

Quanto ao segundo ponto, de ser inadequado à finalidade para a qual o governo é necessário, devemos apenas considerar o que o governo essencialmente é, e compará-lo com as circunstâncias às quais está sujeita a sucessão hereditária.

O governo deveria ser algo sempre em plena maturidade. Deveria ser algo construído de modo a ser superior a todos os acidentes aos quais o homem individual está sujeito. Portanto, a sucessão hereditária, por estar *sujeita a eles todos*, é o mais irregular e imperfeito de todos os sistemas de governo.

Ouvimos os direitos do homem ser chamados de sistema *nivelador.* Mas o único sistema ao qual a palavra *nivelador* é verdadeiramente aplicável é o sistema monárquico hereditário. É um sistema de *nivelação mental.* Ele admite indiscriminadamente que qualquer espécie de caráter tenha a mesma autoridade. Vício e virtude, ignorância e sabedoria, em resumo, qualquer qualidade, boa ou má, é colocada no mesmo nível. Os reis sucedem um ao outro não enquanto racionais mas animais. Isto não significa que este seja o caráter mental ou moral deles. Podemos então nos surpreender com o estado desprezível da mente humana em países monárquicos, quando o próprio governo é constituído a partir de um sistema nivelador tão abjeto? Ele não tem nenhum caráter fixo. Ele hoje é uma coisa, amanhã é outra diferente. Muda com o temperamento de cada indivíduo que sucede e está sujeito a todas as variações de cada um. É um governo através de paixões e acidentes. Aparece sob as várias formas de infância, decrepitude, senilidade: algo a ser cuidado, guiado, ou andar de muletas. Ele inverte a ordem saudável da natureza. Às vezes coloca crianças acima de homens e o capricho da minoridade acima da sabedoria e da experiência. Em resumo, não podemos imaginar nada mais ridículo no governo do que aquilo que a sucessão hereditária mostra em seus casos todos.

Se pudesse ser feito um decreto na natureza, ou um edito registrado no céu, e o homem pudesse conhecê-lo, que a virtude e a sabedoria pertencem invariavelmente à sucessão hereditária, as objeções contra esta desapareceriam. Mas, quando vemos que a natureza age como se rejeitasse e zombasse do sistema hereditário, que as qualidades mentais dos sucessores, em todos os países, estão abaixo da média do entendimento humano, que um é tirano, outro idiota, o terceiro insano, e alguns as três coisas juntas, é impossível dar importância ao sistema hereditário, quando a razão pode agir no homem.

Não é ao Abbé Sieyes que preciso aplicar este raciocínio. Ele já me poupou o trabalho dando sua própria opinião sobre isto. "Se perguntarem", diz ele, "qual é minha opinião a respeito do direito hereditário, eu respondo, sem hesitação, que, em boa teoria, uma transmissão hereditária de qualquer poder ou ofício nunca pode estar de acordo com as leis de uma verdadeira representação. A hereditariedade é, neste sentido, tanto um atentado ao princípio como um ultraje à sociedade. Mas, continua ele, consultemos a história de todas as monarquias e principados eletivos: há algum em que o modo eletivo não é pior do que a sucessão hereditária?"

Discutir sobre qual das duas é pior, é admitir que ambas as formas são más, e com isso concordamos. A preferência que o Abbé deu é uma condenação daquilo que ele prefere. Tal modo de raciocinar a respeito de um assunto assim é inadmissível porque finalmente equivale a uma acusação da Providência, como se ela não tivesse deixado ao homem outra opção em relação ao governo a não ser entre dois males, o melhor dos quais ele considera "um atentado ao princípio e um ultraje à sociedade".

Passando diretamente para o presente, de todos os males e danos que a monarquia ocasionou no mundo nenhum pode provar mais eficazmente sua inutilidade na situação de *governo civil* do que torná-la hereditária. Tornaríamos hereditário um ofício que necessitasse de sabedoria e habilidades para preenchê-lo? Um ofício em que a sabedoria e habilidade não são necessárias, seja ele qual for, é supérfluo ou insignificante.

Sucessão hereditária é uma paródia da monarquia. Ela a torna extremamente ridícula ao apresentá-la como um cargo que qualquer criança ou idiota pode exercer. Requerem-se alguns talentos para ser um mecânico. Para ser rei, porém, é preciso apenas ter a figura animal de homem, uma espécie de autômato que respira. Este tipo de superstição pode durar ainda mais alguns anos, mas não pode resistir muito à razão e ao interesse despertados do homem.

O Sr. Burke é um partidário ardoroso da monarquia, não enquanto pensionista, se ele o é, como eu acredito, mas enquanto homem político. Ele adotou uma opinião de desprezo pela humanidade, a qual, por sua vez, fez o mesmo com ele. Ele considera a humanidade um rebanho de seres que devem ser governados pela fraude, pela representação e pelo espetáculo. Um ídolo seria uma representação tão boa da monarquia como um homem. Devo, porém, fazer-lhe justiça dizendo que, com relação à América, ele sempre foi muito lisonjeiro. Ele sempre afirmou, ao menos pelo que eu saiba, que o povo da América é mais ilustrado do que o da Inglaterra ou de qualquer país na Europa e que, portanto, a impostura do espetáculo não era necessária em seus governos.

Embora a comparação entre monarquia hereditária e eletiva, que o Abbé fez, seja desnecessária neste caso, porque o sistema representativo rejeita ambas, contudo, se fosse para eu fazer a comparação, eu decidiria pelo contrário do que ele fez.

As guerras civis que tiveram origem em reivindicações hereditárias contestadas são mais numerosas e têm sido mais terríveis e de maior duração do que aquelas que foram ocasionadas por eleição. Todas as guerras civis na França surgiram do sistema hereditário. Elas foram produzidas por reivindicações hereditárias, ou pela imperfeição da forma hereditária, a qual permite regências ou monarquia tutorada. Com relação à Inglaterra, sua história está repleta das mesmas calamidades. A polêmica pela sucessão entre as casas de York e Lancaster durou todo um século. Outras semelhantes foram renovadas depois disso. As de 1715 e 1745 são da mesma espécie. A guerra de sucessão pela coroa da Espanha envolveu quase a metade da Europa. Os distúrbios na Holanda foram causados pela hereditariedade do Estatuder. Um governo que se diz livre, com um ofício hereditário, é como um espinho na carne, que produz uma inflamação que procura expeli-lo.

Posso ir além e atribuir também a causa das guerras estrangeiras, guerras de qualquer tipo, à mesma causa. É acrescentando o mal da sucessão hereditária ao da monarquia que se cria um interesse familiar permanente, cujos objetivos constantes são domínio e receita. A Polônia, embora uma monarquia eletiva, teve menos guerras do que as hereditárias. Este é o único governo que fez uma tentativa voluntária, embora pequena, de reformar a condição do país.

Tendo visto de relance alguns defeitos do sistema antigo ou hereditário de governo, vamos compará-lo com o novo sistema, ou representativo.

O sistema representativo toma a sociedade e a civilização como sua base; natureza, razão e experiência como guia.

A experiência, em todas as épocas e países, demonstrou que é impossível controlar a natureza em sua distribuição de poderes mentais. Ela os dá como quer. Seja qual for a regra com a qual ela, aparentemente para nós, os espalha entre a humanidade, esta regra continua um segredo para o homem. Seria tão ridículo como tentar determinar a hereditariedade da beleza ou da sabedoria. Seja o que for essencialmente a sabedoria, ela é como uma planta sem semente. Ela pode ser desenvolvida quando aparece, mas não pode ser voluntariamente produzida. No conjunto da sociedade sempre há lugar para todos os propósitos, mas, com respeito às partes da sociedade, está continuamente mudando seu lugar. Ela surge num hoje, noutro amanhã, e provavelmente visitou por rodízio cada família da terra e novamente se retirou.

Sendo assim na ordem da natureza, a ordem do governo deve necessariamente segui-la ou o governo degenerará, como vemos ele degenerar, em ignorância. O sistema hereditário, portanto, é tão repugnante para a sabedoria humana quanto para os direitos humanos, e é tão absurdo quanto injusto.

Como a república das letras faz surgir as melhores produções literárias, dando aos gênios uma possibilidade igual e universal, assim é de se esperar que o sistema representativo de governo produza as leis mais sábias, recolhendo a sabedoria de onde ela pode ser encontrada. Rio comigo mesmo quando contemplo a insignificância ridícula em que cairiam a literatura e todas as ciências, se elas fossem hereditárias. Transporto a mesma ideia para os governos. Um governador hereditário é tão incompatível como um autor hereditário. Não sei se Homero e Euclides tiveram filhos, mas posso arriscar a opinião de que, se eles tiveram, e tivessem deixado suas obras inacabadas, estes filhos não teriam conseguido completá-las.

Precisamos de uma evidência maior do absurdo do governo hereditário do que o que é visto nos descendentes daqueles homens que foram famosos? É difícil encontrar um exemplo em que não há uma inversão total do caráter? Parece como se a maré das faculdades mentais fluísse tão longe como podia em certos canais e então abandonasse seu curso e surgisse em outros. Como é irracional, portanto, o sistema hereditário que estabelece canais de poder, em cuja companhia a sabedoria se recusa a ir! Continuando este absurdo, o homem está perpetuamente em contradição consigo mesmo. Ele aceita como rei, magistrado ou legislador uma pessoa que ele não poderia eleger como guarda.

Os observadores em geral têm a impressão de que as revoluções criam gênios e talentos, mas estes acontecimentos apenas os fazem aparecer. Existe no homem uma grande quantidade de entendimento em estado latente a qual, se não for despertada, desce com ele, nesta condição, à sepultura. Como é para o bem da sociedade que todas as faculdades sejam empregadas, a constituição do governo deveria ser tal que levasse avante, através de uma ação tranquila e regular, toda esta extensão de capacidade que nunca deixa de aparecer numa revolução.

Isto não pode ocorrer na situação monótona de um governo hereditário, não apenas porque ele evita mas também porque ele entorpece. Quando a mente de uma nação é dobrada por uma superstição política em seu governo, tal como é a sucessão hereditária, ela perde uma considerável porção de seus poderes sobre outros assuntos e objetivos. A sucessão hereditária requer a mesma obediência à ignorância como à sabedoria, e uma vez que a mente chegou a prestar esta reverência indiscriminada, ela desce abaixo da estatura da virilidade mental. Ela está apta a ser grande apenas em pequenas coisas. Ela se trai a si mesma e sufoca as sensações que incitam à descoberta.

Embora os antigos governos nos apresentem um quadro triste da situação do homem, há um que acima de todos os outros é uma exceção da classe geral. Estou falando da democracia dos atenienses. Temos mais para admirar e menos para condenar neste grande e extraordinário povo do que em qualquer outra coisa que a história oferece.

O Sr. Burke está tão pouco familiarizado com os princípios constitutivos do governo que ele confunde democracia e representação. Representação é algo desconhecido nas antigas democracias. Nestas o povo se reunia e fazia leis na primeira pessoa. A democracia simples não era outra coisa senão a sede comum dos antigos. Ela significa tanto a *forma* como o princípio público do governo. Quando estas democracias cresceram em população, e o território se expandiu, a forma democrática simples se tornou difícil de manejar e impraticável. Como o sistema de representação não fosse conhecido, degeneraram tumultuadamente em monarquias ou foram absorvidas nas já existentes. Se o sistema de representação tivesse sido entendido então como é agora, não há motivo para crer que estas formas de governo agora chamadas monárquica e aristocrática tivessem surgido. Foi a falta de um método para consolidar as partes da sociedade depois que ela se tornou populosa demais e custosa demais para a forma democrática simples, e também o modo solto e solitário de vida dos pastores e criadores de gado em outras partes do mundo, que deram oportunidade para começarem estes modos desnaturados de governo.

Sendo necessário eliminar o lixo de erros em que a questão do governo foi lançada, passarei a comentar alguns.

Sempre foi política dos cortesãos e dos governos-cortes insultar aquilo que eles chamavam de republicanismo, mas eles nunca tentaram explicar o que foi ou é republicanismo. Examinemos um pouco melhor este caso.

As únicas formas de governo são a democrática, a aristocrática, a monárquica e a que agora é chamada representativa.

O que se chama de *república* não é qualquer *forma particular* de governo. Ela é totalmente característica do propósito, fim ou objetivo para o qual o governo seria instituído e para o qual deve ser empregado: *res-publica*, assuntos públicos ou bem público, ou, traduzido literalmente, a *coisa pública.* É uma palavra de boa origem e se refere ao que deveria ser a natureza e o negócio do governo. Neste sentido ela se opõe naturalmente à palavra *Monarquia*, que tem um significado original básico. Ela significa poder arbitrário numa pessoa individual em cujo exercício *ele mesmo*, e não a *res-publica*, é o objetivo.

Todo governo que não atua a partir do princípio de uma *república* ou, em outras palavras, que não faz da *res-publica* seu total e único objetivo, não é um bom governo. Governo republicano não é outra coisa senão governo estabelecido e conduzido para o interesse do público, tanto individual quanto coletivamente. Não está necessariamente ligado a alguma forma particular, mas muito naturalmente associado à forma representativa, que é considerada como a que melhor garante a finalidade para a qual existe uma nação às custas da qual ele é sustentado.

Várias formas de governo pretenderam se intitular república. A Polônia chama a si mesma república, mas é uma aristocracia hereditária com aquilo que se chama monarquia eletiva. A Holanda se chama república, mas é sobretudo aristocrática com um estatuderismo hereditário. O governo da América, porém, totalmente baseado no sistema de representação, é a única república real, no seu modo de ser e na prática, que existe agora. Seu governo não tem outro objetivo senão os negócios públicos da nação e, portanto, é propriamente uma república. Os americanos sempre cuidaram que *esse*, e não outro, fosse sempre o objetivo do seu governo, rejeitando qualquer coisa hereditária e estabelecendo o governo apenas sobre o sistema de representação.

Os que disseram que uma república não é uma *forma* de governo apropriada para países muito extensos confundiram, em primeiro lugar, o *negócio* de um governo com uma *forma* de governo. A *res-publica* se refere igualmente a qualquer extensão de território e população. E, em segundo lugar, se eles queriam dizer alguma coisa em relação à *forma*, era a forma democrática simples, como era o modo de governo nas democracias antigas no qual não havia representação. O caso, portanto, não é que uma república não possa ser extensa, mas que não pode ser extensa na forma democrática simples. A pergunta se apresenta naturalmente: *Qual é a melhor forma de governo para conduzir a* res-publica *ou os* negócios públicos *de uma nação depois que ela se torna extensa e populosa demais para a forma democrática simples?*

Não pode ser a monarquia porque a monarquia está sujeita a uma objeção do mesmo tipo à qual a forma democrática simples estava sujeita.

É possível que um indivíduo estabeleça um sistema de princípios sobre o qual será estabelecido constitucionalmente um governo para qualquer extensão territorial. Isso não é mais do que uma operação mental agindo por seus próprios poderes. Mas a prática a partir destes princípios nas várias e numerosas circunstâncias de uma nação, sua agricultura, manufatura, tráfico, comércio etc., etc. requer um conhecimento de espécie diferente e que só pode ser obtido das várias partes da sociedade. É um conjunto de conhecimento prático que nenhum indivíduo pode possuir. Portanto, a forma monárquica é tão limitada, na prática concreta, devido à incapacidade de conhecimento, como era a forma democrática por causa da muita população. Uma degenera, por extensão, em confusão; a outra em ignorância e incapacidade, e disso todas as grandes monarquias são uma evidência. A forma monárquica, portanto, não podia ser um substituto da democrática porque tinha as mesmas inconveniências.

Podia-o muito menos quando se tornou hereditária. Esta é a mais eficaz de todas as formas de impedir o conhecimento. Uma mentalidade altamente democrática também não se entregaria voluntariamente para ser governada por crianças e idiotas e toda a variegada insignificância de figuras presentes num tal sistema meramente animal, desgraça e vergonha da razão e do homem.

Quanto à forma aristocrática, ela tem os mesmos vícios e defeitos da monárquica, exceto que a possibilidade de aptidões é maior devido à proporção de números, mas ainda não há segurança nenhuma do reto uso e aplicação delas.

Remetendo então à democracia simples original, ela fornece os verdadeiros dados a partir dos quais pode começar um governo em bases mais amplas. Ela é incapaz de extensão, não por causa de seu princípio, mas devido à impropriedade de sua forma; a monarquia e a aristocracia, porém, devido à sua incapacidade. Mantendo, então, a democracia como a base, e rejeitando os sistemas corruptos de monarquia e aristocracia, o sistema representativo se apresenta naturalmente, remediando de uma vez os defeitos da democracia simples no tocante à forma, e a incapacidade das outras duas com respeito ao conhecimento.

Democracia simples era a sociedade se governando a si mesma sem a ajuda de meios secundários. Enxertando representação na democracia, chegamos a um sistema de governo capaz de abranger e confederar todos os vários interesses e qualquer extensão de território e população, e isto também com vantagens tão superiores ao governo hereditário quanto a República das Letras está para a literatura hereditária.

É sobre este sistema que o governo americano está fundado. É representação enxertada na democracia. Fixou a forma numa escala paralela em todos os casos à medida do princípio. O que Atenas era em miniatura, a América será em magnitude. A primeira era a maravilha do mundo antigo, a outra está se tornando a admiração e o modelo do presente. Ela é a mais fácil de todas as formas de governo para ser compreendida e a mais conveniente na prática, excluindo ao mesmo tempo a ignorância e a insegurança do modo hereditário e a inconveniência da democracia simples.

É impossível imaginar um sistema de governo capaz de atuar sobre uma tal extensão de território e um círculo tão vasto de interesses como é imediatamente produzido pela ação da representação. A França, grande e populosa como é, não passa de um ponto na amplidão do sistema. Ela é preferível à democracia simples mesmo em territórios pequenos. Atenas, com representação, teria sobrepujado sua própria democracia.

Aquilo que é chamado governo, ou que nós preferiríamos que o governo fosse, não é mais do que um centro comum onde todas as partes da sociedade se unem. Não pode ser realizado por nenhum método tão útil aos vários interesses da comunidade quanto pelo sistema representativo. Ele concentra o conhecimento necessário ao interesse das partes e do todo. Coloca o governo numa situação de maturidade constante. Como já observamos, nunca é jovem, nunca velho. Não está sujeito à minoridade nem à segunda infância. Nunca está no berço nem sobre muletas. Não admite separação entre conhecimento e poder e é superior, como o governo sempre deveria ser, a todos os acidentes do homem individual e é, portanto, superior àquilo que se chama monarquia.

Uma nação não é um corpo cuja figura deve ser representada pelo corpo humano, mas é semelhante a um corpo inscrito num círculo, com um centro comum onde todos os raios se encontram: este centro é formado por representação. Ligar representação com o que é chamado monarquia é governo excêntrico. Representação é por si mesma a monarquia delegada de uma nação e não pode se rebaixar dividindo-a com outra.

Duas ou três vezes o Sr. Burke, em seus discursos parlamentares e em suas publicações, fez uso de um jogo de palavras que não transmitem nenhum ideia. Falando do governo, diz: "É melhor que ele tenha a monarquia como base e o republicanismo como corretivo, do que o republicanismo como base e a monarquia como corretivo". Se ele quer dizer que é melhor corrigir loucura com sabedoria do que sabedoria com loucura, eu apenas lhe direi que seria muito melhor rejeitar a loucura inteiramente.

Mas o que é essa coisa que o Sr. Burke chama de monarquia? Ele a explica? Todo mundo pode entender o que é representação, e que ela necessariamente deve incluir uma variedade de conhecimentos e talentos. Mas qual é a segurança de que existam as mesmas qualidades por parte da monarquia? Ou, quando esta monarquia é uma criança, onde então está a sabedoria? O que ela sabe sobre o governo? Quem é então o monarca ou onde está a monarquia? Se deve ser realizada pela regência, prova que é uma farsa. A regência é uma espécie ridícula de república e a monarquia como um todo não merece classificação melhor. É uma coisa tão diversa como a imaginação pode pintar. Não tem nada da maneira estável que o governo deveria possuir. Cada sucessão é uma revolução e cada regência uma contrarrevolução. Toda ela é uma perpétua trama e intriga da corte, do que o próprio Sr. Burke é um exemplo. Para tornar a monarquia compatível com o governo, o próximo na sucessão não deveria nascer criança mas homem, e este homem deveria ser um Salomão. É ridículo que nações tenham que esperar e governos sejam interrompidos até que meninos se tornem homens.

Quer tenha eu pouco sentido para ver ou demais para me ser imposto, quer tenha eu orgulho demais ou de menos, ou qualquer outra coisa, deixo de lado a questão. Mas é certo que o que é chamado monarquia sempre me pareceu algo desprezível e estúpido. Comparo-a com algo que é mantido atrás de uma cortina, em torno do qual há uma grande agitação e espalhafato e um ar admirável de aparente solenidade; mas quando, por acidente, a cortina se abre, todos veem o que ela é e explodem em riso.

No sistema representativo de governo nada disso pode acontecer. Como a própria nação, ele possui um vigor perpétuo tanto de corpo como de mente e se apresenta no teatro aberto do mundo de uma maneira leal e varonil. Sejam quais forem as excelências e defeitos dele, eles são visíveis a todos. Ele não existe por fraude ou mistério, ele não negocia em hipocrisia e sofisma mas inspira uma linguagem que, passando de coração a coração, é sentida e entendida.

Devemos fechar nossos olhos contra a razão, devemos degradar vilmente o nosso entendimento para não ver a loucura daquilo que chamam monarquia. A natureza é ordenada em torno de suas obras, mas este é um modo de governo que frustra a natureza. Ele põe o progresso das faculdades humanas do avesso. Sujeita a idade adulta a ser governada por crianças, e a sabedoria pela loucura.

Pelo contrário, o sistema representativo está sempre paralelo com a ordem e as leis imutáveis da natureza e encontra a razão do homem em qualquer parte. Por exemplo:

No governo federal americano é delegado mais poder ao Presidente dos Estados Unidos do que a qualquer outro membro individual do Congresso. Por isso ele não pode ser eleito para este cargo com menos de trinta e cinco anos de idade. Nesta idade o julgamento do homem está maduro e ele viveu tempo suficiente para conhecer homens e coisas, e o país a ele. No plano monárquico, porém (excluídas as numerosas possibilidades que há contra qualquer homem nascido no mundo de tirar um prêmio na loteria das faculdades humanas), o próximo na sucessão, seja quem ele for, é colocado à frente da nação e do governo com a idade de dezoito anos. Parece isso um ato de sabedoria? É isso compatível com a dignidade própria e o caráter varonil de uma nação? Qual é a conveniência de chamar um moço assim de pai do povo? Em todos os outros casos, uma pessoa é menor até a idade de vinte e um anos. Antes deste período não se confia a ele o manejo de um acre de terra, ou a propriedade herdável de um rebanho de ovelhas ou uma vara de porcos. Mas, admiravelmente, com dezoito anos lhe pode ser entregue uma nação!

Que a monarquia é uma bolha, um mero artifício da corte para obter dinheiro, é evidente (ao menos para mim) em qualquer aspecto que ela possa ser vista. Seria impossível, no sistema racional de governo representativo, emitir uma conta de despesas numa quantia tão alta como faz esta fraude. O governo não é em si uma instituição muito cara. Toda a despesa do governo federal da América, fundado, como já foi dito, no sistema de representação, e abrangendo um país aproximadamente dez vezes maior do que a Inglaterra, é de apenas seiscentos mil dólares, ou cento e cinquenta e cinco mil libras esterlinas.

Acho que nenhum homem em seu estado sóbrio comparará o caráter dos reis da Europa com o do General Washington. Na França, e também na Inglaterra, o gasto da parte civil apenas para sustentar um homem é oito vezes maior do que toda a despesa do governo federal na América. Parece quase impossível dar uma razão para isso. A maioria das pessoas na América, especialmente os pobres, são mais capazes de pagar impostos do que a maioria do povo na França ou na Inglaterra.

O caso é que o sistema representativo difunde um conjunto tal de conhecimentos através da nação, a respeito do governo, que acaba com a ignorância e exclui a impostura. O artifício da corte não pode ser feito nesta base. Não há lugar para mistério, nem sequer para ele começar. Os que não estão representados sabem tanto da natureza dos negócios como os que estão. Algo considerado de importância misteriosa seria investigado. Nações não podem ter segredos; e os segredos das cortes, como os dos indivíduos, sempre são seus defeitos.

No sistema representativo a razão para cada coisa deve aparecer publicamente. Todo homem é um dono do governo e acha que é parte necessária de seu negócio compreendê-lo. Ele está relacionado com seu interesse porque afeta sua propriedade. Ele examina o custo e o compara com as vantagens; e, acima de tudo, ele não adota o costume servil de seguir aqueles que em outros governos são chamados *líderes*.

É apenas cegando o entendimento do homem e fazendo-o crer que o governo é alguma coisa misteriosa e maravilhosa, que se obtêm receitas excessivas. A monarquia é bem calculada para assegurar este fim. É um papismo do governo, algo mantido para distrair os ignorantes e mantê-los sob impostos.

O governo de um país livre, propriamente falando, não está nas pessoas mas nas leis. Sua execução não requer grande experiência e quando elas são administradas, todo o governo civil é realizado. O resto é tudo artifício da corte.

Capítulo IV
Das constituições

É evidente que os homens querem dizer coisas distintas e separadas quando falam de constituições e de governos. Por que estes termos são usados distinta e separadamente? Uma constituição não é o ato de um governo mas de um povo constituindo um governo. Governo sem constituição é poder sem direito.

Todo poder exercido sobre uma nação deve ter um começo. Ele deve ser delegado ou tomado. Não há nenhuma outra fonte. Todo poder delegado é confiança e todo poder tomado é usurpação. O tempo não altera a natureza nem a qualidade de nenhum deles.

Em relação a isto, o caso e as circunstâncias da América se apresentam como se fosse o começo do mundo, e nossa pesquisa sobre a origem do governo é abreviada por se referir a fatos que surgiram em nossos dias mesmo. Não precisamos andar atrás de informação no terreno obscuro da antiguidade nem nos arriscarmos em conjecturas. Fomos levados imediatamente ao momento de ver o governo começar, como se estivéssemos vivendo no princípio do tempo. O volume real, não da história, mas do fato, está diretamente diante de nós, não mutilado pelo artifício ou pelos erros da tradição.

Apresentarei aqui concisamente o começo das constituições americanas. Através delas aparecerá suficientemente claro a diferença entre constituições e governos.

Não é impróprio lembrar o leitor que os Estados Unidos da América consistem de treze estados separados, cada um dos quais estabeleceu um governo por si mesmo depois da declaração de independência feita aos 4 de julho de 1776. Cada Estado agiu independente dos outros ao formar seu governo. Mas o mesmo princípio geral perpassa o todo. Quando os diversos governos foram formados, eles passaram a formar o governo federal que atua sobre o todo em todos os assuntos que se referem ao interesse do todo, ou às relações entre os diversos estados ou com nações estrangeiras. Começarei dando um exemplo de um dos governos de Estado (o de Pensilvânia) e em seguida passarei para o governo federal.

O Estado da Pensilvânia, embora aproximadamente do mesmo tamanho do território da Inglaterra, estava então dividido em apenas doze municípios. Cada município destes tinha eleito um comitê no começo da disputa com o governo inglês. Como a cidade de Filadélfia, que também tinha o seu comitê, era a principal em inteligência, tornou-se o centro de comunicação dos diversos comitês municipais. Quando se tornou necessário formar um governo, o comitê de Filadélfia propôs uma conferência de todos os municípios, a se realizar nesta cidade, o que aconteceu no fim de julho de 1776.

Embora estes comitês tivessem sido eleitos pelo povo, não tinham sido eleitos expressamente para este fim nem investidos com a autoridade de fazer uma constituição. Como eles não podiam, de acordo com as ideias americanas de direito, assumir tal poder, apenas podiam deliberar sobre o assunto e colocá-lo em andamento. Os deliberadores, portanto, não fizeram mais do que propor o assunto e recomendaram que os diversos municípios elegessem seis representantes cada um, para se reunirem em Filadélfia com poderes e fazer uma constituição e apresentá-la à consideração pública.

Esta convenção, da qual Benjamin Franklin era presidente, se reuniu, deliberou e chegou a um acordo a respeito de uma constituição. Imediatamente seus deliberadores mandaram que ela fosse publicada, não como algo estabelecido, mas para a consideração de todo o povo, para sua aprovação ou rejeição, protelando-a por um certo tempo. Quando o prazo expirou, a convenção se reuniu novamente e foi conhecida a opinião geral do povo que a aprovava. A constituição foi assinada, selada e proclamada com a *autoridade do povo*, e o instrumento original foi guardado como um documento público. A convenção marcou então um dia para a eleição geral dos representantes que deveriam compor o governo e quando ele deveria começar. Tendo feito isso, dissolveram a assembleia e voltaram para suas casas e ocupações.

Nesta constituição foi estipulado, primeiro, uma declaração de direitos; seguiam-se a forma que teria o governo e os poderes que lhe caberiam – a autoridade dos tribunais de justiça e dos júris, a maneira de se conduzirem as eleições e o número dos representantes em proporção aos eleitores, o tempo de duração de cada assembleia, que seria de um ano, o modo de arrecadar impostos e a prestação de contas dos gastos, do dinheiro público, a indicação de funcionários públicos etc., etc.

Nenhum artigo desta constituição poderia ser alterado ou infringido pelo governo que se seguiria. Ela era uma lei para o governo. Como não teria sido sábio evitar o benefício da experiência e a fim também de prevenir a acumulação de erros, se algum pudesse ser encontrado, e para preservar a consonância do governo com as circunstâncias do Estado em qualquer tempo, a constituição previu que após cada sete anos seria eleita uma convenção com a finalidade expressa de revisar a constituição e fazer alterações, acréscimos e eliminações nela, se isso fosse considerado necessário.

Aqui vemos um processo regular - um governo nascendo de uma constituição, formado pelo povo em seu aspecto original; e esta constituição servindo não apenas como autoridade mas como lei para controlar o governo. Ela era a Bíblia política do Estado. Dificilmente uma família não a tinha. Cada membro do governo tinha uma cópia. Quando surgia um debate sobre o princípio de alguma lei ou sobre o alcance de qualquer tipo de autoridade, os participantes tiravam a constituição impressa de seus bolsos e liam o capítulo com o qual estava ligado o assunto em questão. Era coisa corriqueira.

Tendo dado um exemplo de um dos Estados, mostrarei agora o processo pelo qual a constituição federal dos Estados Unidos surgiu e foi elaborada.

O Congresso, em suas duas primeiras sessões em setembro de 1774 e em maio de 1775, não era mais do que uma representação das assembleias legislativas das diversas províncias, depois Estados. Não tinha outra autoridade além da provinda do consenso comum e da necessidade de agir como um corpo público. Em tudo o que se relacionava com os assuntos internos da América, o Congresso não ia além de dar recomendações às diversas assembleias provinciais, que decidiam se as adotavam ou não. Nada da parte do Congresso era obrigatório; nesta situação, porém, era mais fiel e afetuosamente obedecido do que o era qualquer governo na Europa. Este exemplo, como o da Assembleia Nacional da França, mostra suficientemente que a força de um governo não consiste em algo *dentro* dele mas na união de uma nação e no interesse que o povo sente em sustentá-lo. Quando isto se perde, o governo é apenas uma criança no poder e, como o antigo governo na França, embora possa hostilizar os indivíduos por algum tempo, isto apenas facilita sua própria queda.

Depois da Declaração de Independência, era coerente com o princípio sobre o qual está fundado o governo representativo que a autoridade do Congresso fosse definida e instituída. Se esta autoridade seria mais ou menos do que a que o Congresso então prudentemente exercia, não era a questão. Tratava-se apenas da retidão da medida.

Para este fim a lei chamada *Act of Confederation* (que era uma espécie de constituição federal imperfeita) foi proposta e, depois de muita deliberação, foi concluída em 1781. Não era Lei do Congresso, porque repugna aos princípios do governo representativo que um órgão possa dar poder a si mesmo. O Congresso primeiro informou aos diversos Estados os poderes com os quais julgava necessário que a união fosse investida para capacitá-la a cumprir os deveres e serviços requeridos dela; os Estados separadamente concordaram entre si e concentraram no Congresso estes poderes.

Não seria inconveniente observar que em ambos os exemplos (o da Pensilvânia e o dos Estados Unidos) não existe uma ideia como a de um pacto entre o povo, de um lado, e o governo, do outro. O pacto foi entre as pessoas para criarem e constituírem um governo. Supor que algum governo possa ser uma parte num pacto com todo o povo é supor que ele tem existência antes de poder ter direito de existir. O único caso em que pode ocorrer um pacto entre o povo e aqueles que exercem o governo é que o povo lhes pagará enquanto eles estiverem decididos a dar-lhe emprego. O governo não é um negócio que qualquer homem, ou qualquer grupo de homens, tem o direito de estabelecer e exercer para seu próprio proveito, mas é totalmente confiança em direito daqueles que delegam a confiança, os quais sempre a podem retomar. Não tem por si mesmo direitos; são totalmente deveres.

Tendo dado dois exemplos da formação original de uma constituição, mostrarei agora o modo como ambas mudaram desde que foram estabelecidas pela primeira vez.

Os poderes conferidos aos governos dos diversos Estados pelas constituições estaduais, a experiência mostrou que eram demais, e os conferidos ao governo federal pelo *Act of Confederation*, de menos. O defeito não estava no princípio mas na distribuição do poder.

Numerosas publicações, em panfletos e jornais, apareceram a respeito da conveniência e necessidade de uma remodelação do governo federal. Após um período de discussão pública, levada avante pela imprensa e em conversas, o Estado de Virgínia, experimentando alguns inconvenientes com respeito ao comércio, propôs a realização de uma conferência continental. Em consequência disso uma representação de cinco ou seis assembleias estaduais se reuniu em Anápolis, Maryland, em 1786. Este encontro, julgando-se insuficientemente autorizado para tratar de uma reforma, não fez outra coisa do que expor suas opiniões gerais sobre a conveniência da medida e recomendar que uma convenção de todos os Estados fosse feita no ano seguinte.

A convenção realizou-se em Filadélfia em maio de 1787, sendo nela o General Washington eleito presidente. Nesta época ele não estava ligado a nenhum governo estadual ou ao Congresso. Ele entregara seu cargo quando terminou a guerra e desde então levava a vida de um cidadão comum.

A convenção tratou profundamente de todos os assuntos e, após muito debate e investigação, tendo chegado a um acordo sobre várias partes de uma constituição federal, levantou a questão sobre a maneira de lhe dar autoridade e prática.

Para este fim eles não foram, como uma cabala de cortesãos, buscar um estatuder holandês ou um eleitor alemão, mas entregaram toda a questão ao senso e aos interesses do país.

Eles primeiro ordenaram que a constituição proposta fosse publicada. Em segundo lugar, que cada Estado elegesse uma convenção expressamente para a finalidade de analisá-la e ratificá-la ou rejeitá-la. Assim que se conseguisse a aprovação e ratificação por parte de nove Estados, que estes Estados procedessem à eleição de sua parte proporcional de membros para o novo governo federal. Este começaria então a atuar e o governo federal antigo cessaria.

Os diversos Estados passaram por conseguinte a eleger suas convenções. Algumas destas convenções ratificaram a constituição por maioria muito grande, e duas ou três unanimemente. Em outras houve muito debate e divisão de opiniões. Na convenção de Massachusetts, que se reuniu em Boston, a maioria não foi superior a dezenove ou vinte entre cerca de trezentos membros. A natureza do governo representativo é tal, porém, que ele decide tranquilamente todos os assuntos por maioria. Depois do debate na convenção de Massachusetts ter terminado, e realizada a votação, os membros contra levantaram-se e declararam que: *embora tivessem argumentado e votado contra ela, porque viam certas partes numa perspectiva diferente do que outros membros, contudo, como o voto decidira a favor da constituição assim como proposta, eles dariam a ela o mesmo apoio prático como se eles tivessem votado a favor.*

Assim que nove Estados chegaram a um acordo (e o restante seguiu na ordem em que suas convenções foram eleitas), tirou-se a velha roupagem e pôs-se a nova do governo federal, do qual o General Washington é presidente. Não posso deixar de ressaltar que o caráter e os serviços deste cavalheiro são suficientes para envergonhar os homens chamados reis. Enquanto eles recebem do suor e do trabalho da humanidade uma prodigalidade de pagamento, ao qual nem suas habilidades nem seus serviços dão direito, ele presta todo serviço a seu alcance e recusa qualquer recompensa pecuniária. Ele não aceita nenhum pagamento como comandante-chefe, não aceita nenhum como presidente dos Estados Unidos.

Depois de estabelecida a nova constituição federal, o Estado de Pensilvânia, vendo que algumas partes de sua própria constituição precisavam ser alteradas, elegeu uma convenção para este fim. As alterações propostas foram publicadas e, tendo o povo concordado com elas, foram instituídas.

Na elaboração destas constituições, ou em suas alterações, pouco ou nenhum inconveniente ocorreu. O curso ordinário das coisas não foi interrompido, e as vantagens têm sido muitas. É sempre o interesse de um número muito maior de pessoas numa nação ter as coisas certas do que elas permanecerem erradas. E, quando os assuntos públicos estão abertos ao debate, e o julgamento público livre, não se decide errado, a não ser que se decida apressadamente demais.

Nos dois exemplos de mudança de constituição os governos então existentes não foram os agentes nem o meio. O governo não tem nenhum direito de se tornar uma parte em qualquer debate a respeito dos princípios ou modos de fazer ou mudar constituições. Não é para o benefício daqueles que exercem os poderes do governo que as constituições e os governos resultantes delas são instituídos. Em todas estas questões o direito de julgar e de atuar estão naqueles que pagam e não naqueles que recebem.

Uma constituição é propriedade de uma nação e não daqueles que exercem o governo. Todas as constituições da América se declaram estabelecidas sobre a autoridade do povo. Na França, a palavra nação é usada em vez de povo. Em ambos os casos uma constituição é algo antecedente ao governo e sempre distinto dele.

Na Inglaterra não é difícil perceber que tudo tem constituição, exceto a nação. Qualquer sociedade e associação que se estabelece primeiro chega a um acordo a respeito de alguns artigos iniciais que, formalizados, são suas constituições. Então ela indica seus oficiais, cujo poder e autoridade estão descritos naquela constituição, e o governo daquela sociedade que então começa. Estes oficiais, seja qual for o nome com que são chamados, não têm nenhuma autoridade para acrescentar, alterar ou reduzir os artigos originais. É apenas ao poder constituinte que pertencem estes direitos.

Por falta de entender a diferença entre uma constituição e um governo, Dr. Johnson e todos os escritores semelhantes sempre se têm confundido. Eles só conseguem perceber que deve necessariamente haver um poder *controlador* em alguma parte, e o colocam no critério das pessoas que exercem o governo em vez de o colocarem na constituição formada por uma nação. Quando está numa constituição, ele tem a nação como apoio e os poderes de controle naturais e políticos estão juntos. As leis decretadas pelos governos controlam os homens apenas como indivíduos, mas a nação, através de sua constituição, controla o governo todo e tem uma capacidade natural para fazê-lo. O poder controlador final, portanto, e o poder constituinte original são um e o mesmo poder.

O Dr. Johnson não poderia ter adiantado tal posição em nenhum país onde há uma constituição, e ele mesmo é uma evidência de que não existe na Inglaterra algo como constituição. Pode-se levantar a questão, não imprópria para ser investigada: se não existe constituição, como surgiu a ideia de sua existência tão generalizada?

A fim de resolver esta questão, é necessário considerar uma constituição em ambos os casos: primeiro, como criando um governo e lhe dando poderes; segundo, como reguladora e moderadora dos poderes dados.

Se iniciarmos com Guilherme da Normandia, vemos que o governo da Inglaterra era originalmente uma tirania, fundada numa invasão e numa conquista do país. Admitido isso, parecerá que o esforço da nação em diferentes épocas para reduzir a tirania e torná-la menos intolerável foi considerado constituição.

A Magna Charta, como foi chamada (ela agora é como um almanaque da mesma data), não foi mais do que obrigar o governo a renunciar à parte de suas apropriações. Ela não criou nem deu poderes ao governo do modo como faz uma constituição; foi, como se apresenta, uma espécie de reconquista e não uma constituição. Se a nação tivesse expelido totalmente a usurpação, como a França fez com o seu despotismo, então teria tido uma constituição a fazer.

A história dos Eduardos e dos Henriques, até o começo dos Stuarts, mostra tantos exemplos de tirania quantos podia haver dentro dos limites que a nação lhes tinha traçado. Os Stuarts se esforçaram para passar estes limites, e seu destino é bem conhecido. Em todos estes exemplos não vemos nada de constituição mas apenas restrições ao poder tomado.

Depois disto, outro Guilherme, descendente do mesmo tronco e reivindicando a mesma origem, tomou posse. Entre dois males, *James* e *William*, a nação preferiu o que considerou menor, uma vez que, dadas as circunstâncias, ela devia ficar com um. A lei chamada *Bill of Rights* entra aqui em consideração. O que é ela senão uma barganha que as partes do governo fazem entre si para repartir poderes, proveitos e privilégios? Você ficará com tanto e eu ficarei com o resto. Com relação à nação se disse: como *tua porção terás o direito de pedir*. Sendo este o caso, o *Bill of Rights* é mais uma lei de erros e insultos. Quanto à assembleia parlamentar, é uma coisa que se fez a si mesma e então fez a autoridade pela qual agia. Algumas pessoas se reuniram e se deram aquele nome. Várias delas nunca foram eleitas, e nenhuma para esta finalidade.

A partir do tempo de Guilherme surgiu uma espécie de governo, nascendo desta coalizão o *Bill of Rights*, e logo a corrupção foi introduzida na sucessão Hanover, por atuação de Walpole, que não pode ser descrita por nenhum outro nome senão o de legislação despótica. Embora as partes possam estar enleadas, o todo não tem nenhuma ligação; e o único direito que reconhece fora de si é o direito de pedir. Onde está então a constituição que tanto dá como restringe poder?

Não é porque uma parte do governo é eleita que ele é menos despótico, se as pessoas eleitas possuem depois, como um Parlamento, poderes ilimitados. Eleição neste caso é diferente de representação, e os candidatos são candidatos ao despotismo.

Não posso crer que qualquer nação, arrazoando em seu próprio direito, teria pensado em chamar estas coisas de *constituição*, se o clamor por constituição não tivesse sido levantado pelo governo. Entrou em circulação como as palavras *bore* e *quiz*, sendo encontradas em discursos do Parlamento, como se estivessem afixadas em janelas e portas. Seja o que tenha sido a constituição em outros aspectos, ela sem dúvida tem sido *a mais produtiva máquina de criação de impostos que jamais foi inventada*. Os impostos na França, sob a nova constituição, não chegam a treze xelins per capita, e os impostos na Inglaterra, sob o que é chamado sua atual constituição, são de quarenta e oito xelins e meio per capita - homens, mulheres e crianças - alcançando a quantia de aproximadamente dezessete milhões de libras esterlinas, fora a despesa de coleta, que é além de um milhão a mais.

Num país como a Inglaterra, onde todo o governo civil é executado pelo povo de cada cidade e condado através de funcionários paroquiais, magistrados, sessões trimestrais, júris e tribunais de justiça, sem nenhum problema para o que eles chamam governo ou sem nenhuma outra despesa para a receita além do salário dos juízes, é assustador como tal quantia de impostos possa ser empregada. Nem sequer a defesa interna do país é paga pela receita. A qualquer oportunidade, seja real ou forjada, se recorre continuamente a novos empréstimos e novos impostos. Não é de admirar, portanto, que uma máquina governamental tão vantajosa para os defensores de uma corte seja tão triunfalmente exaltada. Não é de admirar que em St. James ou em St. Stephen ecoasse o grito contínuo de uma constituição! Não é de admirar que a Revolução Francesa fosse condenada e a *res-publica* tratada com censura. O *livro vermelho* da Inglaterra, como o livro vermelho da França, explicará o motivo.

Agora, para relaxar um pouco, dedico um ou dois pensamentos ao Sr. Burke. Peço desculpa a ele por negligenciá-lo por tanto tempo.

"A América", diz ele (em seu discurso sobre a constituição do Canadá), "nunca sonhou com uma doutrina tão absurda como os *Direitos do homem*".

O Sr. Burke faz presunções arrojadas e apresenta suas afirmações e premissas com tal falta de julgamento, que sem nos preocuparmos com princípios de filosofia ou política, podemos dizer que as conclusões puramente lógicas que elas produzem são ridículas. Por exemplo:

Se os governos, como afirma o Sr. Burke, não são fundados sobre os direitos do *homem*, e não se fundamentam absolutamente em *nenhum direito*, eles consequentemente devem se fundar sobre o direito de *algo* que *não* seja o *homem*. Então, o que é este algo?

Falando de modo geral, sabemos que nenhuma outra criatura habita a terra além do homem e da besta. Em todos os casos em que duas coisas estão presentes e uma deve ser admitida, a negação provada de uma leva à afirmação da outra. Portanto, o Sr. Burke, ao provar contra os direitos do *homem*, prova a favor da *besta*. Consequentemente, prova que o governo é uma besta. E como coisas difíceis às vezes se explicam mutuamente, agora vemos por que conservar bestas selvagens na Torre, pois elas certamente não servem para outra coisa senão para mostrar a origem do governo. Elas estão no lugar da constituição. Ó John Bull, quantas honras perdeste por não seres um animal selvagem. Poderias, de acordo com o sistema do Sr. Burke, ficar na Torre por toda a vida.

Se os argumentos do Sr. Burke não têm peso suficiente para manter alguém sério, a falha é menos minha do que dele. Como estou disposto a fazer uma apologia da liberdade para o leitor, espero que o Sr. Burke também faça a sua dando a causa.

Tendo pago ao Sr. Burke a cortesia de lembrá-lo, volto ao assunto.

Devido à falta de uma constituição na Inglaterra para restringir e regular o impulso selvagem do poder, muitas das leis são irracionais e tirânicas, e a administração delas vaga e problemática.

A atenção do governo da Inglaterra (preferi chamá-lo por este nome ao de governo inglês) parece, desde sua ligação política com a Alemanha, ter sido tão completamente absorvida pelos assuntos estrangeiros, através do aumento de impostos, que parece não existir para outra finalidade. Preocupações domésticas são negligenciadas, e com respeito à lei regular dificilmente existe tal coisa.

Quase cada caso deve ser determinado por algum precedente, seja ele bom ou mau, que ele se aplique adequadamente ou não. A prática se tornou tão generalizada que chega a sugerir suspeita de provir de uma política mais profunda do que parece à primeira vista.

Desde a Revolução da América, e mais ainda desde a da França, esta pregação das doutrinas de precedentes, extraídas de tempos e circunstâncias anteriores a estes eventos, tem sido a prática estudada do governo inglês. A maior parte destes precedentes fundamentam-se em princípios e opiniões, ao contrário do que deveriam, e quanto maior a distância no tempo de onde são extraídos tanto mais hão de ser suspeitos. Ligando estes precedentes com a reverência supersticiosa por coisas antigas, como monges que mostram relíquias e dizem que são santas, a maioria da humanidade é enganada. Os governos agora agem como se tivessem medo de despertar uma única reflexão no homem. Eles mansamente o estão levando para o sepulcro dos precedentes para amortecer suas faculdades e desviar a atenção das revoluções. Sentem que está chegando ao conhecimento mais depressa do que desejam, e sua política de precedente é o barômetro de seus temores. O papismo político, como o papismo eclesiástico de antigamente, teve seus dias e está caminhando rapidamente para seu fim. A relíquia esfarrapada e o precedente obsoleto, o monge e o monarca, se converterão em pó juntos.

Governo por precedente, sem qualquer consideração ao princípio do precedente, é um dos sistemas mais abomináveis que pode ser instituído. Em numerosos exemplos o precedente deveria atuar como um aviso e não como um exemplo, e precisa ser evitado em vez de imitado. Em vez disso, porém, os precedentes são tomados em massa, e logo colocados em lugar da constituição e da lei.

Ou a doutrina dos precedentes é uma política para manter o homem num estado de ignorância ou é uma confissão prática de que a sabedoria degenera nos governos na medida em que os governos aumentam em idade e só podem coxear com as pernas de pau e as muletas dos precedentes. Como é possível que as mesmas pessoas que orgulhosamente se julgam mais sábias do que seus predecessores apareçam ao mesmo tempo apenas como os fantasmas de uma sabedoria falecida? Como é estranhamente tratada a antiguidade! Para certas finalidades, se fala dela como de tempos de treva e ignorância; para outras, ela é apresentada como a luz do mundo.

Se é para ser seguida a doutrina dos precedentes, os gastos do governo não precisam continuar os mesmos. Por que pagar tão prodigamente a quem tem tão pouco a fazer? Se qualquer coisa que possa acontecer já tem precedente, a legislação está no fim e o precedente, como um dicionário, determina cada caso. O governo chegou a sua segunda infância e precisa ser renovado ou já ocorreram todas as ocasiões para exercer sua sabedoria.

Vemos agora por toda a Europa, particularmente na Inglaterra, o fenômeno curioso de uma nação olhando numa direção e o governo na outra: ela para a frente e ele para trás. Se os governos devem continuar através de precedente, enquanto as nações prosseguem por melhoramento, devem terminar finalmente numa separação. Quanto mais cedo, e quanto mais civilizadamente eles resolverem isso, tanto melhor.

Tendo falado das constituições em geral, como coisas distintas dos governos, passemos agora a considerar as partes de que são compostas as constituições.

As opiniões diferem mais a respeito desta questão do que a respeito do todo. Que uma nação deva ter uma constituição, como regra, para a conduta de seu governo é uma questão simples com que todos os homens, não diretamente cortesãos, concordam. É apenas sobre as partes componentes que as questões e as opiniões se multiplicam.

Mas esta dificuldade, como qualquer outra, diminuirá ao começar a ser corretamente entendida.

A primeira coisa é que uma nação tem direito a estabelecer uma constituição.

Se ela exerce este direito da maneira mais sensata a princípio é outro caso bem diferente. Ela exerce com prazer esta capacidade de julgamento que possui e, continuando a fazer isso, todos os erros finalmente serão eliminados.

Quando este direito é estabelecido numa nação, não há nenhum receio de que ele será empregado para seu próprio mal. Uma nação não pode ter nenhum interesse em estar errada.

Embora todas as constituições da América tenham um mesmo princípio geral, não há duas delas que sejam exatamente iguais em suas partes componentes ou na distribuição dos poderes que elas dão aos governos. Algumas são mais e outras menos complexas.

Ao fazer uma constituição, primeiro é necessário considerar quais as finalidades por que o governo é necessário. Em segundo lugar, quais são os meios melhores e os menos custosos para atingir estas finalidades?

O governo não é nada mais do que uma associação nacional. O objetivo dessa associação é o bem de todos, tanto individual quanto coletivamente. Todo homem deseja seguir sua profissão e gozar os frutos de seu trabalho e o produto de sua propriedade em paz e segurança e com o mínimo possível de gastos. Quando estas coisas são alcançadas, todos os objetivos para os quais se deveria estabelecer um governo são cumpridos.

Tornou-se costume considerar o governo em três aspectos gerais distintos: o legislativo, o executivo e o judiciário.

Mas se permitirmos nosso julgamento agir desembaraçado do hábito de multiplicar as palavras, não perceberemos mais do que duas divisões de poder, as quais compõem um governo civil, a saber; o legislativo, que elabora leis; e o executivo, que as administra. Portanto, tudo o que se relaciona com o governo civil está classificado numa ou noutra destas duas divisões.

Com respeito à execução das leis, aquilo que é chamado de poder judiciário é estrita e propriamente o poder executivo de qualquer país. É a este poder que qualquer indivíduo tem que apelar e que faz com que as leis sejam executadas; nem sequer temos qualquer outra ideia clara com respeito à execução oficial das leis. Na Inglaterra, como também na América e na França, este poder começa com o magistrado e prossegue por todas as cortes de justiça.

Deixo aos cortesãos explicar o que significa chamar a monarquia de poder executivo. Ela é apenas um nome no qual são feitas as leis do governo e qualquer outro, ou absolutamente nenhum, cumpriria esta finalidade. As leis não têm mais ou menos autoridade por causa disso. Deve ser da exatidão de seus princípios e do interesse que a nação tem por eles que elas obtêm apoio. Se elas precisarem de outro apoio além deste, é sinal de que há algo imperfeito no sistema de governo. Leis difíceis de se executarem, de modo geral não podem ser boas.

Com respeito à organização do *poder legislativo*, modos diferentes foram adotados em diferentes países. Na América ele é em geral composto de duas câmaras. Na França ele consiste de apenas uma, mas em ambos os países ele é totalmente por representação.

Ocorre que a humanidade (devido à longa tirania do poder assumido) teve tão poucas oportunidades de fazer as necessárias experiências de modos e princípios de governo, a fim de descobrir o melhor, *que o governo só agora está começando a ser conhecido*, e ainda falta experiência para determinar muitos detalhes.

As objeções contra duas casas são, em primeiro lugar, que há uma incoerência em cada parte do todo legislativo em chegar a uma decisão final através de voto sobre algum assunto enquanto *este assunto*, com respeito a *este todo*, ainda está na fase de deliberação e consequentemente aberto a novos esclarecimentos.

Em segundo lugar, votando cada uma como órgão separado, sempre existe a possibilidade, que frequentemente é o caso na prática, que a minoria governe a maioria, chegando em alguns casos a um grande grau de incoerência.

Em terceiro lugar, é incoerente duas casas arbitrariamente se fiscalizarem e controlarem porque não pode ser provado, com base nos princípios de representação justa, que uma seja mais sábia ou melhor do que a outra. Elas podem controlar o errado tanto quanto o certo e, portanto, dar poder lá onde não podemos dar sabedoria de usá-lo nem ter certeza de ele estar sendo usado corretamente torna o acaso ao menos igual à precaução.

A objeção contra uma câmara única é que ela sempre pode se comprometer cedo demais. Mas se deveria lembrar ao mesmo tempo que, quando há uma constituição que define o poder e estabelece os princípios dentro dos quais uma assembleia legislará, já há um controle mais eficaz - agindo mais poderosamente - do que possa ser qualquer outro controle. Por exemplo:

Se fosse feita uma proposta de lei numa assembleia legislativa americana semelhante à que foi transformada em lei pelo Parlamento inglês, no começo do reinado de Jorge I, para prolongar a duração das assembleias além do período do seu mandato, o controle estaria na constituição, a qual de fato diz: *podeis ir tão longe e não além.*

Para remover a objeção contra uma câmara única, de agir por um impulso muito rápido e ao mesmo tempo evitar as incoerências, em casos absurdos, que surgem das duas casas, foi proposto o seguinte método como um melhoramento para ambas.

Primeiro, ter apenas uma representação.

Segundo, dividir esta representação, por sorteio, em duas ou três partes.

Terceiro, que cada proposta de lei seja primeiro debatida nestas partes sucessivamente, de modo que possam se tornar ouvintes uma da outra, mas sem votar. Depois disso, toda a representação se reuniria em assembleia para um debate geral e decisão pelo voto.

A este melhoramento proposto foi acrescentado outro, com a finalidade de manter a representação em constante renovação. É o seguinte: um terço da representação de cada país sairia após um ano, sendo este número substituído por novas eleições. Outro terço, após o segundo ano, seria substituído da mesma maneira. Ao final do terceiro ano haveria eleição geral.

Como quer que as partes separadas de uma constituição possam ser arranjadas, há *um* princípio geral que distingue liberdade de escravidão, o qual é *que todo* governo *hereditário* sobre o povo é para este uma espécie de escravidão e que governo representativo é liberdade.

Considerando o governo sob a única luz em que deveria ser considerado, a da *Associação Nacional*, ele deveria ser constituído de modo a não se desorganizar por qualquer acontecimento casual entre as partes, e, portanto, nenhum poder extraordinário, capaz de produzir tal efeito, deveria ser colocado nas mãos de algum indivíduo. Morte, doença, ausência ou deserção de qualquer indivíduo no governo não deveria ter mais consequência, com respeito à nação, do que se o mesmo tivesse ocorrido com um membro do Parlamento inglês ou com um da Assembleia Nacional francesa.

Dificilmente alguma coisa mostra uma degradação maior da grandeza nacional do que a nação ser lançada na confusão por algo que aconteça ao indivíduo ou seja feito por ele. O ridículo da situação é muitas vezes aumentado pela insignificância da pessoa que a ocasiona. Se o governo estivesse constituído de tal maneira que não pudesse funcionar sem a presença de uma gansa ou um ganso no senado, as dificuldades seriam exatamente tão grandes e tão reais, com a fuga ou doença da gansa ou do ganso, como se o governo se chamasse rei. Nós rimos dos indivíduos devido às coisas tolas que lhes acontecem sem perceber que as coisas mais ridículas são feitas nos governos.

Todas as constituições da América foram elaboradas de modo a excluir as confusões pueris que ocorrem em países monárquicos. Lá não pode ocorrer nenhuma suspensão de governo por um momento, seja por que circunstância for. O sistema de representação cuida de tudo e é o único sistema onde nações e governos podem aparecer como realmente são.

Como poder extraordinário não deve ser colocado nas mãos de nenhum indivíduo, também não deve haver nenhuma apropriação do dinheiro público por ninguém, além do merecido por seus serviços num estado. Não importa se um homem é chamado de presidente, rei, imperador, senador ou qualquer outro nome que a conveniência ou a loucura possam inventar ou a arrogância tomar, isso é apenas um certo serviço que ele pode desempenhar no Estado; e o serviço de um indivíduo desses na rotina do ofício, seja tal ofício chamado monárquico, presidencial, senatorial, ou com outro nome ou título qualquer, nunca pode exceder o valor de dez mil libras por ano. Todos os grandes serviços feitos no mundo são realizados por pessoas voluntárias, que nada aceitam por eles. Mas a rotina do ofício é sempre ajustada a um padrão geral de habilidades de modo a haver em cada país muitos que o possam executar e, portanto, não podem merecer uma recompensa muito extraordinária. O *governo*, diz Swift, *é uma coisa simples e adaptada à capacidade de muitas cabeças.*

É desumano falar de um milhão de libras por ano pago dos impostos públicos de um país para sustento de um indivíduo, enquanto milhares são forçados a contribuir para isso definhando na necessidade e lutando contra a miséria. O governo não consiste no contraste entre prisões e palácios, entre pobreza e pompa. Não foi instituído para roubar a migalha do necessitado e aumentar a miséria do miserável. Sobre esta parte da questão, porém, falarei depois, limitando-me agora a observações políticas.

Quando poder extraordinário e pagamento extraordinário são entregues a um indivíduo no governo, ele se torna o centro em torno do qual se cria e forma toda espécie de corrupção. Dar a um homem um milhão por ano e a isso acrescentar o poder de criar e dispor de empregos às custas de um país é tirar a segurança das liberdades do país. O que se chama esplendor de um trono não é outra coisa senão a corrupção do Estado, composto de um bando de parasitas vivendo na indolência e no luxo às custas de impostos públicos.

Uma vez estabelecido um tal sistema corrupto, ele se torna a guarda e a proteção de todos os abusos menores. O homem que recebe um milhão por ano é a última pessoa a promover um espírito de reforma, temendo ser por ela prejudicado. É sempre de seu interesse justificar abusos inferiores, como fazer muitas fortificações para proteger a cidadela, e nesta espécie de fortificação política todas as partes têm tanta dependência em comum que nunca se há de esperar que elas se ataquem mutuamente.

A monarquia não teria continuado por tanto tempo no mundo se não fosse pelos abusos que ela protege. Ela é a fraude-mãe que abriga todas as outras. Admitindo participação nas pilhagens, faz amigos, e quando omite fazer isso, deixa de ser o ídolo dos cortesãos.

Como o princípio a partir do qual são feitas agora as constituições rejeita toda pretensão hereditária do governo, rejeita também todo aquele catálogo de aquisições conhecido pelo nome de prerrogativas.

Se há algum governo em que prerrogativas possam com aparente segurança ser dadas a algum indivíduo é no governo federal da América. O Presidente dos Estados Unidos da América é eleito apenas por quatro anos. Ele não é só responsável no sentido geral da palavra, mas há um dispositivo especial estabelecido na constituição para garantir isso. Ele não pode ser eleito com idade inferior a trinta e cinco anos e deve ser natural do país.

Ao comparar estes casos com o governo da Inglaterra, a diferença em relação a este último raia ao absurdo. Na Inglaterra a pessoa que exerce prerrogativa é geralmente um estrangeiro, sempre meio estrangeiro e sempre casado com uma estrangeira. Ele nunca está em completa ligação natural ou política com o país, não é responsável por nada e se torna maior de idade aos dezoito anos. A tal pessoa contudo é permitido fazer alianças estrangeiras, sem sequer conhecimento da nação, e fazer guerra e paz sem consentimento dela.

Mas isto não é tudo. Embora esta pessoa não possa dispor do governo à maneira de um testador, ele dita as ligações de casamento, que, de fato, atingem em grande parte o mesmo fim. Ele não pode diretamente legar a metade do governo à Prússia, mas pode fazer uma aliança de casamento que produzirá o mesmo. Nestas circunstâncias, a Inglaterra é feliz por não estar situada no Continente, do contrário poderia, como a Holanda, cair sob a ditadura da Prússia. A Holanda, por casamento, é de fato governada pela Prússia, como se toda a tirania de legar o governo tivesse sido o recurso.

A presidência na América (ou, como às vezes ela é chamada, o executivo) é o único cargo do qual um estrangeiro está excluído; na Inglaterra ele é o único ao qual ele é admitido. Um estrangeiro não pode ser membro do Parlamento, mas pode ser o que se chama rei. Se há alguma razão para se excluir estrangeiros, deve ser daqueles cargos onde maiores danos podem ser feitos e onde, unindo toda preocupação de interesse e ligação, a confiança é melhor garantida. Mas quando as nações passam para a grande atividade de fazer constituições, elas examinarão com maior precisão a natureza e os negócios daquele setor chamado executivo. Cada um pode ver o que são os setores legislativo e judiciário, mas quanto ao que, na Europa, se chama executivo, na medida em que se distingue destes dois, ou é um supérfluo político ou um caos de coisas desconhecidas.

Tudo o que é necessário é uma espécie de setor oficial ao qual se farão informes das diferentes partes de uma nação, ou do estrangeiro, para serem apresentados aos representantes nacionais. Mas não há nenhuma coerência em chamar isso de executivo, e só pode ser considerado como inferior ao legislativo. A autoridade soberana de um país é seu poder de fazer leis e tudo o mais é setor público.

Logo após a disposição dos princípios e a organização das diversas partes de uma constituição estão as providências a serem tomadas para o sustento das pessoas a quem a nação confiará a administração dos poderes constitucionais.

Uma nação não pode ter nenhum direito sobre o tempo e os serviços de qualquer pessoa às custas da pessoa, a quem ela decide empregar ou em quem confiar em qualquer setor que seja; nem pode haver razão alguma para se prover o sustento de uma parte do governo e de outra não.

Admitindo que a honra de ser encarregado de uma parte do governo seja considerada recompensa suficiente, deveria ser igual para todas as pessoas. Se os membros do legislativo de um país devem servi-lo às suas próprias custas, o que é chamado de executivo, seja monárquico ou tenha qualquer outro nome, deve servir da mesma maneira. É incoerente pagar a um e aceitar o serviço do outro grátis.

Na América, todo setor de governo é decentemente pago, mas nenhum exageradamente. Cada membro do Congresso, e das assembleias, recebe o suficiente para suas despesas. Na Inglaterra, porém, a provisão mais pródiga é feita para o sustento de uma parte do governo e nenhuma para a outra, cuja consequência é que uma recebe os meios de corrupção e a outra é colocada na condição de ser corrompida. Menos de uma quarta parte desta despesa, aplicada como é na América, remediaria uma grande parte da corrupção.

Outra reforma nas constituições americanas é a eliminação de todo juramento a pessoas. O juramento de fidelidade na América é apenas para a nação. É incorreto colocar qualquer indivíduo como representação da nação. A felicidade de uma nação é o objetivo superior e, portanto, a intenção de um juramento de fidelidade não deve ser ofuscada pelo fato de ele ser feito figurativamente ou em nome de uma pessoa. O juramento chamado juramento cívico na França, a saber, a *Nação, a Lei* e o *Rei*, é impróprio. Deveria ser feito como na América, apenas à Nação. A lei pode ou pode não ser boa, mas aqui não pode ter outro significado senão contribuir para a felicidade da nação e, portanto, está incluída nela. O restante do juramento é impróprio porque todos os juramentos pessoais devem ser abolidos. Eles são o resto da tirania, por um lado, e da escravidão, por outro, e o nome do *Criador* não deveria ser introduzido para testemunhar a degradação de sua criação; se for feito, como já foi mencionado, como representação da nação, então é redundante. Mas qualquer que seja a defesa que se possa fazer dos juramentos no primeiro estabelecimento de um governo, não deveriam ser permitidos depois. Se um governo precisa do apoio de juramentos, é sinal que não merece apoio e não deveria ser apoiado. Fazendo o governo aquilo que deve, ele se sustentará a si mesmo.

Para concluir esta parte do assunto: um dos maiores melhoramentos feitos para a segurança perpétua e o progresso da liberdade constitucional foram as medidas que as novas constituições tomaram para ocasionalmente revisar, alterar e emendá-las.

O princípio sobre o qual o Sr. Burke formou seu credo político – o de *obrigar e controlar a posteridade até o fim do tempo e de renunciar e abdicar aos direitos de toda a posteridade para sempre* – tornou-se agora detestável demais para ser assunto de debate. Por isso passo por alto, apenas expondo-o.

Só agora o governo está começando a ser conhecido. Até agora ele tem sido mero exercício do poder que impedia uma investigação real dos direitos e se baseava totalmente na posse. Enquanto o inimigo da liberdade era seu juiz, o progresso de seus princípios deveria ser realmente pequeno.

As constituições da América, como também a da França, fixaram um período para sua revisão, ou determinaram o modo como fazer melhoramentos. Talvez seja impossível estabelecer qualquer coisa que combine princípios com opiniões e prática sem que a evolução das circunstâncias, através dos anos, não desconcerte de certo modo, ou torne incompatível. Por isso, para evitar que se acumulem inconvenientes, a ponto de desencorajar reformas e provocar revoluções, é melhor prever os meios para regulamentá-los quando ocorrerem. Os direitos do homem são os direitos de todas as gerações humanas e não podem ser monopolizados por nenhuma. O que merece ser seguido deverá ser seguido por causa de seu valor, e é nisso que está a sua segurança e não em condições que possam atravancá-lo. Quando um homem deixa propriedade para seus herdeiros não a liga à obrigação de eles deverem aceitá-la. Por que, então, faríamos diferente com respeito a constituições?

A melhor constituição que poderia agora ser ideada, compatível com a condição do momento presente, pode ficar longe de ter aquela superioridade que uns poucos anos proporcionam. Há um despertar da razão no homem a respeito da questão do governo que não tinha aparecido antes. À medida que desaparecer o barbarismo dos atuais velhos governos, a condição moral das nações entre si mudará. O homem não será educado com a ideia selvagem de considerar sua espécie como seu inimigo porque a casualidade do nascimento deu aos indivíduos existência em países distinguidos por nomes diferentes. Como as constituições têm sempre alguma relação com as circunstâncias, tanto externas quanto domésticas, os meios de se tirar proveito de toda mudança, externa ou interna, seriam parte de toda constituição.

Já vemos uma alteração na disposição nacional da Inglaterra e da França uma para com a outra, o que é uma revolução em si, se voltarmos apenas alguns anos atrás. Quem poderia prever, ou quem teria acreditado, que a Assembleia Nacional francesa se tornaria popular na Inglaterra ou que uma aliança de amizade entre as duas nações se tornaria o desejo de ambas? Isso mostra que o homem, não sendo corrompido por governos, é naturalmente amigo do homem e que a natureza humana não é viciosa em si mesma. O espírito de ciúme e a ferocidade que os governos dos dois países inspiraram e tornaram subservientes à finalidade de criação de impostos agora estão se rendendo aos ditames da razão, do interesse e da humanidade. O intercâmbio entre as cortes está começando a ser entendido, e a afetação de mistério, com todo seu sortilégio artificial com que iludiram a humanidade, está declinando. Recebeu seu golpe mortal; embora possa demorar, acabará.

O governo deveria ser tão aberto a melhoramentos como a tudo que se relacione com o homem. Em vez disso, ele foi monopolizado de geração em geração pelos mais ignorantes e depravados da raça humana. Precisamos de outra prova de sua infeliz administração além do excesso de dívidas e impostos sob o qual toda nação geme e das contendas em que fizeram o mundo mergulhar?

Emergindo apenas de uma condição tão bárbara, é muito cedo para determinar a qual grau de melhoramento o governo pode ser levado. Pelo que podemos prever, toda a Europa pode formar uma única grande República e o homem ser completamente livre.

Capítulo V
Meios e modos de melhorar a condição da Europa, intercalados com observações várias

Ao contemplar um assunto que abrange com magnitude equatorial toda a esfera do humano, é impossível limitar a busca numa única direção. Ela se baseia em cada pessoa e condição que pertence ao homem e mistura o indivíduo, a nação e o mundo.

De uma pequena centelha, acesa na América, levantou-se uma chama que não será extinta. Sem se consumir, como a *Ultima Ratio Regum*, ela sopra seu progresso de nação a nação e conquista de maneira silenciosa. O homem se descobre mudado e dificilmente percebe como. Ele adquire um conhecimento de seus direitos exatamente por cuidar de seu interesse e descobre nisso que a força e os poderes do despotismo consistem inteiramente no medo de resistir a ele e que *para ser livre é suficiente que ele o queira.*

Tendo procurado, nas partes anteriores deste livro, estabelecer um sistema de princípios como base sobre a qual deveria ser instituído o governo, nesta passarei aos meios e modos de transformá-los em prática. Mas, a fim de introduzir esta parte do assunto com mais propriedade e com maior efeito, são necessárias algumas observações preliminares dedutíveis destes princípios e ligadas a eles.

Seja qual for a forma ou a constituição de um governo, ele não deveria ter outra finalidade senão a felicidade *geral*. Quando em vez disso ele atua para criar e aumentar a infelicidade, em qualquer parte da sociedade, ele está baseado num sistema errado e a reforma é necessária.

A linguagem comum classificou a condição do homem em vida civilizada e incivilizada. A uma se atribuiu felicidade e opulência, à outra dificuldade e necessidade. Embora nossa imaginação possa impressionar-se com a pintura e a comparação, contudo é claro que uma grande parte da humanidade, nos países ditos civilizados, está numa situação de pobreza e miséria, muito inferior à condição de um índio. Não falo de um país mas de todos. É assim na Inglaterra, é assim em toda a Europa. Investiguemos a causa.

Ela não está em qualquer defeito nos princípios da civilização mas em evitar que estes princípios tenham uma atuação universal. A consequência disso é o sistema perpétuo de guerra e despesa que esgota o país e frustra a felicidade geral de que a civilização é capaz.

Todos os governos europeus (excluída agora a França) não estão construídos sobre o princípio da civilização universal mas em seu inverso. Na medida em que estes governos se relacionam entre si, eles estão na mesma situação como imaginamos a vida selvagem não civilizada. Eles se colocam além da lei de Deus e do homem e, com respeito aos princípios e à conduta recíproca, estão como tantos indivíduos num estado natural.

Os habitantes de cada país, sob a civilização das leis, facilmente civilizam juntos. Estando porém os governos num estado incivilizado, e quase continuamente em guerra, eles pervertem a abundância que a vida civilizada produz para aumentar muito a parte incivilizada. Enxertando assim o barbarismo do governo na civilização interna de um país, tiram deste, e sobretudo dos pobres, grande parte de seus rendimentos que poderia ser aplicada para sua subsistência e conforto. Deixando de parte toda reflexão sobre moralidade e filosofia, é um fato melancólico que mais de um quarto do trabalho da humanidade é anualmente consumido por este sistema bárbaro.

O que serviu para continuar este mal é a vantagem pecuniária que todos os governos da Europa encontraram em manter este estado de incivilização. Ele lhes oferece ambição de poder e receita para os quais não teriam ocasião nem desculpa se o círculo da civilização se houvesse completado. O governo civil sozinho, ou o governo de leis, não proporciona ambições para tantos impostos. Ele age em casa, diretamente sob as vistas do país, e exclui a possibilidade de muito imposto. Mas quando a cena se passa na disputa incivilizada dos governos, o campo das ambições é ampliado e o país, não sendo mais juiz, está aberto a qualquer imposição que os governos queiram fazer.

Nem uma trigésima, talvez nem uma quadragésima parte dos impostos recolhidos na Inglaterra são ocasionados pelo governo civil ou aplicados para sua finalidade. Não é difícil ver que tudo o que o atual governo faz a esse respeito é decretar leis e que o país as administra e executa às suas próprias custas através de magistrados, júris, sessões trimestrais e bianuais, além dos impostos que paga.

Nesta perspectiva, nós temos dois tipos diferentes de governo: um é o governo civil, ou governo de leis, que atua em casa; o outro é o governo da Corte ou do Gabinete, que atua no estrangeiro, no plano grosseiro da vida incivilizada. O primeiro serve com pouco ônus, o outro com prodigalidade ilimitada; os dois são tão diferentes que se o último afundasse, por assim dizer, na terra que de repente se abrisse e desaparecesse totalmente, o primeiro não se perturbaria. Ele permaneceria, pois isso é do interesse comum da nação, e para isso existem todos os meios.

As revoluções, portanto, têm como objetivo uma mudança na condição moral dos governos e com esta mudança a carga dos impostos públicos diminuirá e a civilização gozará a abundância daquilo de que agora está privada.

Ao contemplar todo este assunto, fixo minha atenção no departamento de comércio. Em todas as minhas publicações, sempre que posso defendo o comércio, porque gosto de seus efeitos. É um sistema pacífico que leva a humanidade a ser cordial tornando as nações, bem como os indivíduos, úteis uns aos outros. Quanto à reforma meramente teórica, eu nunca a defendi. O processo mais eficaz é o de melhorar a condição do homem através de seu interesse e é nisso que baseio a minha posição.

Se fosse permitido ao comércio agir plenamente do modo que é capaz, exterminaria o sistema de guerra e provocaria uma revolução no Estado incivilizado de governos. A invenção do comércio surgiu desde que estes governos começaram e é a maior aproximação à civilização universal que já foi feita por qualquer meio não decorrente imediatamente de princípios morais.

Tudo o que tende a promover o relacionamento civil das nações através de intercâmbio de benefícios é um assunto tão merecedor de filosofia como de política. O comércio não é outra coisa senão o tráfico entre dois indivíduos em escala numérica ampliada. A mesma regra que a natureza quis para o relacionamento de dois ela quis para todos. Para essa finalidade ela distribuiu os materiais de manufatura e comércio por diferentes e distantes partes de uma nação e do mundo. Como eles não podem ser obtidos pela guerra de maneira tão barata e cômoda como pelo comércio, ela deu ao último os meios de extirpar a primeira.

Como os dois são quase opostos entre si, o Estado incivilizado dos governos europeus é, por conseguinte, prejudicial ao comércio. Todo tipo de destruição ou obstáculo serve para diminuir a quantidade e importa pouco em que parte do mundo comercial começa a redução. Como o sangue, ele não pode ser tirado de algumas partes sem ser tirado de toda a quantidade em circulação, e todos partilham da perda. Quando é destruída a capacidade de uma nação para comprar, isso envolve igualmente o vendedor. Se o governo da Inglaterra destruísse o comércio de todas as outras nações, de maneira muito mais eficaz arruinaria o seu próprio.

É possível uma nação ser o agente transportador para o mundo mas não pode ser o comerciante. Ela não pode ser o vendedor e o comprador de sua própria mercadoria. A capacidade de comprar deve estar fora de si mesma. Portanto, a prosperidade de qualquer nação comercial é regulada pela prosperidade do resto. Se ele é pobre, ela não pode ser rica, e sua condição, seja qual for, é um índice da altura da maré comercial em outras nações.

Que os princípios do comércio e sua atuação universal podem ser entendidos sem se entender a prática, é uma posição que a razão não negará. É apenas a partir disso que discutirei o assunto.

No escritório comercial é uma coisa, no mundo é outra. Com respeito à sua atuação, deve necessariamente ser visto como coisa recíproca; apenas uma metade de seu poder está na nação e o todo é tão eficazmente destruído ao se destruir a metade que está fora como se a destruição tivesse sido feita da metade que está dentro, pois nenhuma pode agir sem a outra.

Quando na última guerra, assim como nas anteriores, o comércio da Inglaterra afundou, foi porque a quantidade geral diminuiu em toda parte. Agora está aumentando porque o comércio está numa fase crescente em todas as nações. Se hoje a Inglaterra importa e exporta mais do que em qualquer período anterior, à nação com a qual ela faz comércio deve necessariamente acontecer o mesmo: suas importações são as exportações da outra e vice-versa.

É impossível uma nação prosperar sozinha no comércio. Ela pode apenas participar. A destruição dele em qualquer parte deve necessariamente afetar a todos. Quando, portanto, há governos em guerra, o ataque é feito contra o comércio comum e as consequências são as mesmas como se cada um atacasse o seu próprio.

O atual crescimento do comércio não deve ser atribuído a ministros ou a qualquer artimanha política mas às suas atuações naturais próprias em consequência da paz. Os mercados regulares tinham sido destruídos, os canais do comércio haviam desaparecido, os caminhos dos mares infestados de ladrões de todas as nações, e a atenção do mundo desviada para outros fins. Estas interrupções terminaram, a paz restaurou a situação desorganizada das coisas à sua ordem devida.

Vale a pena notar que cada nação calcula a balança comercial a seu próprio favor. Portanto, algo irregular deve haver nas ideias comuns a respeito disso.

O fato, contudo, é verdadeiro, de acordo com o que é chamado balança, e é a partir deste caso que o comércio é universalmente sustentado. Toda nação acha que tem vantagem, senão abandonaria a prática. O engano está no modo de fazer as contas e ao atribuir o que se chama lucro a uma causa errônea.

O Sr. Pitt se divertiu algumas vezes em mostrar o que ele chama de balança comercial a partir dos livros de alfândega. Este modo de calcular não apenas não dá nenhuma regra verdadeira, mas produz uma falsa.

Em primeiro lugar, todo carregamento que parte da alfândega aparece nos livros como exportação e, de acordo com a balança alfandegária, as perdas no mar e por falhas estrangeiras são somadas no lado do lucro porque elas aparecem como exportação.

Em segundo lugar, porque as importações feitas por contrabando não aparecem nos livros alfandegários para serem contrapostas às exportações.

Nenhum saldo, portanto, com respeito a maiores vantagens, pode ser tirado destes documentos. Se examinarmos a atuação natural do comércio, a ideia está errada; se estivesse certa, em breve seria prejudicial. O grande sustentáculo do comércio está no saldo que consiste num nível de benefícios entre as nações todas.

Dois comerciantes de nações diferentes, negociando juntos, ambos se tornarão ricos, e cada um consegue saldo a seu favor. Consequentemente, um não se torna rico sem o outro. A mesma coisa acontece com as nações em que eles residem. Uma nação não se enriquece por seus próprios recursos; ela aumenta sua riqueza pelo que obtém de outra pelo intercâmbio.

Se um comerciante na Inglaterra envia um artigo manufaturado inglês para o estrangeiro, que lhe sai pelo preço de um xelim, e importa algo que vende por dois, ele tem um saldo de um xelim a seu favor. Isto não é ganho sem a nação estrangeira ou o comerciante estrangeiro, pois ele faz o mesmo com os artigos que recebe, e nenhum tem um saldo vantajoso sobre o outro. O valor original dos dois artigos em seus próprios países era de dois xelins mas, por mudar de lugar, eles adquirem uma nova ideia de valor igual ao dobro do que tinham antes e este valor acrescentado é igualmente dividido.

Não existe um saldo no comércio estrangeiro diferente do comércio doméstico. Os comerciantes de Londres e Newcastle negociam baseados nos mesmos princípios como se eles morassem em nações diferentes e obtêm seus saldos da mesma maneira. Londres não se enriquece sem Newcastle como tampouco Newcastle sem Londres; mas o carvão, a mercadoria de Newcastle, tem um valor adicional em Londres e a mercadoria de Londres tem o mesmo em Newcastle.

Embora o princípio de todo comércio seja o mesmo, o doméstico, do ponto de vista nacional, é a parte mais proveitosa porque todas as suas vantagens, de ambos os lados, ficam dentro da nação, ao passo que no comércio externo só se participa da metade.

O comércio menos lucrativo de todos é o ligado ao domínio estrangeiro. Para alguns indivíduos ele pode ser benéfico, apenas porque é comércio, mas para a nação é prejuízo. A despesa de manter um domínio absorve mais do que o lucro de qualquer comércio. Ele não aumenta a quantia geral no mundo mas a faz diminuir e, como uma quantidade maior estaria em circulação se o domínio fosse abandonado, a participação sem o custo seria mais valiosa do que uma maior quantidade com ele.

É impossível monopolizar o comércio através do domínio; portanto, é ainda mais errado. Ele não pode existir em canais limitados e necessariamente explode através de meios regulares ou irregulares que frustram a tentativa; se desse certo seria pior. A França, a partir da revolução, tem sido mais do que indiferente às possessões estrangeiras e as outras nações também o serão quando pesquisarem a questão relacionada ao comércio.

À despesa do domínio deve ser acrescentada a dos navios; quando a soma dos dois é subtraída do lucro do comércio, se verá que aquilo que é chamado de balança comercial, mesmo admitindo que exista, não é usufruída pela nação mas absorvida pelo governo.

A ideia de ter uma esquadra para proteger o comércio é uma ilusão. Coloca-se o meio de destruição como meio de proteção. O comércio não precisa de outra proteção além do interesse recíproco que cada nação tem em apoiá-lo – é o seu fundo comum. Ele existe devido a um saldo vantajoso para todos. A única interrupção que ele encontra é por parte do atual Estado incivilizado dos governos, cuja reforma é de interesse comum.

Deixando este assunto, passo para outras questões. Sendo necessário incluir a Inglaterra na perspectiva de uma reforma geral, é bom investigar os defeitos de seu governo. Somente se cada nação reformar seu próprio governo é que o todo pode ser melhorado e se pode gozar do benefício completo da reforma. Apenas vantagens parciais podem se seguir de reformas parciais.

A França e a Inglaterra são os dois únicos países na Europa onde a reforma do governo poderia iniciar com êxito. Uma está garantida pelo oceano e a outra pela imensidão de seu território interno, podendo desafiar a malignidade do despotismo estrangeiro. Acontece com as revoluções o que acontece com o comércio: as vantagens aumentam na medida em que se tornam gerais, e cada uma recebe em dobro o que receberia sozinha.

Como um novo sistema agora se está abrindo ao mundo, as cortes europeias estão tramando para neutralizá-lo. Alianças contrárias a todos os sistemas antigos são discutidas e um interesse comum das cortes está surgindo contra o interesse do homem. Esta combinação perpassa toda a Europa e apresenta uma causa tão completamente nova que impede qualquer cálculo a partir das circunstâncias anteriores. Enquanto o despotismo guerreava com o despotismo, o homem não tinha interesse na luta; mas numa causa que une o soldado com o cidadão e nação com nação, o despotismo das cortes, embora perceba o perigo e pense em vingança, tem medo de atacar.

Não há questão nos registros da história que tivesse a mesma importância da do presente. Não se trata se haverá este ou aquele partido, se predominará o *Whig* ou o *Tory*[4], o alto ou o baixo, mas se herdará o homem os seus direitos e haverá uma civilização universal. Os frutos do seu trabalho serão desfrutados por ele ou consumidos pela devassidão dos governos? O roubo será banido das cortes e a miséria dos países?

Quando, em países que se dizem civilizados, vemos a velhice indo para os asilos e a juventude para a forca, algo deve estar errado no sistema de governo. Pareceria, pela aparência exterior de tais países, que tudo era felicidade, mas existe escondida aos olhos

---

4 *Tory*: partidário do grupo político britânico do século XVIII e começo do século XIX que primeiro defendeu os Stuarts e mais tarde a autoridade real e a Igreja nacional. Os *tories* procuravam preservar a estrutura política tradicional e derrotar as reformas parlamentares.

de uma observação comum grande quantidade de miséria que dificilmente tem outra possibilidade além de morrer na pobreza e na infâmia. Sua entrada na vida é marcada pelo prenúncio de seu destino. Enquanto isso não for remediado, é inútil punir.

O governo civil não consiste em execuções mas em cuidar da instrução da juventude e do apoio à velhice a fim de evitar, enquanto possível, a devassidão de um e o desespero de outro. Em vez disso, os recursos do país são gastos prodigamente com reis, cortes, mercenários, impostores e prostitutas, e até os próprios pobres, com todas as necessidades que têm, são obrigados a sustentar a fraude que os oprime.

Por que dificilmente se executa alguém que não seja pobre? O fato é uma prova, entre outras coisas, da miséria de sua condição. Criados sem moral, jogados no mundo sem nenhuma perspectiva, eles são o sacrifício evidente do vício e da barbaridade legal. Os milhões que são superfluamente gastos com governos são mais do que suficiente para reformar estes males e melhorar a condição de cada homem na nação, não incluídos nos limites de uma corte. Espero deixar isto claro no desenrolar desta obra.

É da natureza da compaixão associar-se ao infortúnio. Ao estudar este assunto não procuro recompensa, nem temo a consequência. Fortalecido com a integridade orgulhosa que desdenha triunfar ou se render, defenderei os direitos do homem.

Foi para meu bem que fiz um aprendizado para a vida. Conheço o valor da instrução moral e vi o perigo do contrário.

Num período inicial, com um pouco menos de dezesseis anos de idade, inexperiente e aventuroso, animado pelo falso heroísmo de um mestre que serviu num navio de guerra, comecei a fazer a minha sorte e me inscrevi para servir a bordo do navio corsário *Terrible* ao Capitão *Death.* Felizmente fui impedido de fazer esta aventura pela admoestação carinhosa e moral de um bom pai, o qual, devido a seus hábitos de vida, por ser *Quaker*, deve ter começado a me ver como um perdido. Mas a impressão, apesar do efeito causado naquele tempo, começou a se desvanecer, eu me inscrevi depois para o navio corsário *King of Prussia*, Capitão *Mendes*, e fui para o mar neste navio. Apesar de tal começo, e com todos os inconvenientes de uma vida incipiente contra mim, tenho orgulho em dizer que com uma perseverança intrépida nas dificuldades, um desinteresse que impunha respeito, não apenas contribuí para levantar um novo império no mundo, fundado sobre um novo sistema de governo, mas cheguei a um auge em literatura política, o mais difícil de todos os ramos para se ter sucesso e chegar ao auge, o que a aristocracia com toda a sua ajuda não foi capaz de alcançar ou de rivalizar.

Conhecendo meu próprio coração e sentindome, como me sinto agora, superior a toda escaramuça de partido, superior à maldade arraigada de oponentes interessados ou errados, não respondo à falsidade ou ao abuso mas passo para os defeitos do governo inglês.

Começo com as cartas de privilégio e as corporações.

É uma perversão dos termos dizer que uma carta de privilégio dá direitos. Ela atua por um efeito contrário: o de tirar direitos. Os direitos são inerentes a todos os habitantes mas as cartas de privilégio, anulando estes direitos na maioria, entregam o direito, por exclusão, nas mãos de uns poucos. Se as cartas de privilégio fossem redigidas expressando-se em termos diretos *que todo habitante, que não é membro de uma corporação, não exercerá o direito de vo-*

tar – tais cartas não seriam cartas de privilégio e sim de exclusão. O efeito é o mesmo na forma em que elas agora se apresentam, e as únicas pessoas sobre as quais elas atuam são as pessoas que elas excluem. Aqueles cujos direitos são garantidos, por não terem sido tirados, não exercem nenhum direito a não ser como membros da comunidade que têm direitos sem uma carta de privilégio. Portanto, todas as cartas de privilégio têm apenas uma atuação negativa indireta. Elas não dão direito a A, mas fazem uma diferença em favor de A tirando o direito de B, sendo por conseguinte instrumentos de injustiça.

Mas as cartas de privilégio e as corporações têm um mau efeito maior do que o relacionado apenas com as eleições. Elas são fonte de infindáveis contendas nos lugares onde existem e elas diminuem os direitos comuns da sociedade nacional. Um nativo inglês, sob a atuação destas cartas de privilégio e corporações, não pode se chamar inglês no sentido pleno da palavra. Ele não é livre na nação da mesma maneira como um francês é livre na França e um americano na América. Seus direitos estão circunscritos à cidade e em alguns casos à paróquia em que nasceu. Todas as outras partes, embora em sua terra natal, são para ele como país estrangeiro. Para conseguir residência nelas ele deve passar por uma naturalização local, comprando-a, ou ele é proibido de ficar no lugar ou é expulso. Esta espécie de feudalismo é conservado para engrandecer as corporações para a ruína das cidades, e o efeito é visível.

A maioria destas cidades-corporações está numa situação de decadência solitária e não chegou a ruína maior apenas por alguma circunstância em sua situação, como um rio navegável ou um território circundante fértil. Como a população é uma das principais fontes de riqueza (pois sem ela a terra em si não tem valor), tudo deve atuar para evitar que ela diminua o valor da propriedade. Como as corporações não apenas têm esta tendência, mas diretamente este efeito, elas só podem ser prejudiciais. Se alguma política devesse ser seguida, em vez daquela da liberdade geral a cada pessoa de se estabelecer onde quiser (como na França e na América), seria mais coerente encorajar os recém-chegados do que impedir sua admissão exigindo prêmios deles.

As pessoas mais imediatamente interessadas na abolição das corporações são os habitantes das cidades, onde estão estabelecidas as corporações. Os exemplos de Manchester, Birmingham e Sheffield mostram, por contraste, o prejuízo que estas instituições góticas são para a propriedade e para o comércio. Uns poucos exemplos podem ser encontrados, como o de Londres, cujas vantagens naturais e comerciais, devido à sua situação às margens do Tâmisa, é capaz de resistir aos males políticos de uma corporação. Em todos os outros casos, porém, a fatalidade é visível demais para ser duvidada ou negada.

Embora toda a nação não seja tão diretamente afetada pela depressão da propriedade em cidades-corporações como os próprios habitantes, ela partilha da consequência. Diminuindo o valor da propriedade, a quantidade do comércio nacional é reduzida. Todo homem é um cliente na proporção de sua capacidade e em todas as partes da nação negociam entre si: tudo o que afeta qualquer uma das partes, necessariamente deve se comunicar com o todo.

Como uma das casas do Parlamento inglês é, em grande parte, formada por eleições destas corporações e como não é natural fluir um rio limpo de uma fonte suja, seus vícios são apenas continuação dos vícios de sua origem. Um homem respeitável e de bons princípios políticos não pode se submeter ao trabalho mesquinho e ao jeito infame com que são conduzidas tais eleições. Para ser um candidato com sucesso ele deve estar destituído das qualidades que constituem um legislador justo. Estando assim disciplinado à corrupção pelo modo de entrar no Parlamento, não é de se esperar que o representante seja melhor do que o homem.

O Sr. Burke, ao falar da representação inglesa, fez um desafio tão arrojado como jamais foi feito no tempo da cavalaria. "Nossa representação", diz ele, "foi considerada *perfeitamente adequada a todas as finalidades* para as quais a representação do povo pode ser desejada ou imaginada. Desafio", continua ele, "os inimigos de nossa constituição a mostrar o contrário". Esta declaração de um homem que esteve em constante oposição a todas as medidas do Parlamento durante toda a sua vida política, exceto durante um ou dois anos, é muito extraordinária. Comparando-o com ele mesmo, a única alternativa é que ele agiu contra o seu julgamento como membro ou se declarou contrário a ele como autor.

Mas não é apenas na representação que está o defeito e por isso passo em seguida para a aristocracia.

O que é chamado Câmara dos Lordes se baseia num fundamento muito semelhante àquele contra o qual existem leis em outros casos. É uma combinação de pessoas num único interesse comum. Nenhuma razão pode ser dada por que uma casa legislativa deva ser composta inteiramente por homens cuja ocupação consiste em arrendar propriedades rurais, quando deveria ser composta pelos que arrendam, ou por fabricantes de cerveja, padeiros ou por qualquer outra classe de homens.

O Sr. Burke chama esta casa *"a grande base e pilar de segurança dos interesses fundiários"*. Examinemos esta ideia.

Que pilar de segurança os interesses fundiários precisam mais do que qualquer outro interesse no Estado, ou que direito têm eles a uma representação distinta e separada do interesse geral da nação? O único uso a ser feito deste poder (e o que ele sempre fez) foi se proteger dos impostos, lançando o peso sobre artigos de consumo pelos quais ele mesmo seria menos afetado.

Isto foi consequência (e sempre será) da construção de governos sobre combinações. É o que evidencia a história dos impostos na Inglaterra.

Não obstante os impostos terem aumentado e se multiplicado sobre todo artigo de consumo comum, o imposto territorial, que mais particularmente afeta este "pilar", diminuiu. Em 1788 o total do imposto territorial foi de 1.950.000 libras, o que é meio milhão a menos do que produziu quase há cem anos, apesar de os arrendamentos terem em muitos casos dobrado nesse período.

Antes da chegada dos hanoverianos os impostos eram divididos quase em proporção igual entre a terra e os artigos de consumo, arcando a terra até com a porção maior. A partir de então, porém, cerca de treze milhões de novos impostos foram lançados anualmente sobre o consumo. A consequência foi um constante aumento do número e miséria dos pobres. Aqui novamente o peso não recai em proporções iguais sobre a aristocracia e o restante da comunidade. As residências deles, seja na cidade ou no campo, não estão misturadas com as habitações dos pobres. Eles vivem separados da pobreza às custas da qual eles se livram dela. É nas cidades fabris e nas vilas operárias que este ônus pesa mais, em muitas das quais uma classe de pobres sustenta outra.

Diversos destes impostos mais pesados e produtivos são criados de maneira a isentar este pilar, estando assim a seu favor. O imposto sobre a cerveja fabricada para ser vendida não afeta a aristocracia, que faz sua própria cerveja livre desta taxa. Ele cai sobre os que não têm experiência ou capacidade de fabricar cerveja e os que devem comprá-la em pequena quantidade. O que a humanidade pensará da justiça da taxação quando souber que este imposto apenas, do qual a aristocracia está isenta por motivos circunstanciais, é aproximadamente igual a todo o imposto territorial do ano de 1788, isto é, 1.666.152 libras, e não é menor agora, e, com sua proporção de imposto sobre o malte e o lúpulo, o ultrapassa? É talvez um fato sem paralelo na história das receitas que um único artigo, tão parcialmente consumido, sobretudo pelos trabalhadores, seja submetido a imposto igual a todo o arrendamento de uma nação.

É esta uma das consequências resultantes de uma casa legislativa composta a partir de uma combinação de interesse comum; seja qual for a política das partes separadamente, nisto elas estão unidas. Quando uma combinação faz aumentar o preço de um artigo para venda, ou o salário, ou quando retira impostos de si para lançá-los sobre outra classe da comunidade, o princípio e o efeito são os mesmos. Sendo um ilegal, será difícil mostrar que o outro deve existir.

De nada adianta dizer que os impostos são primeiro propostos na Câmara dos Comuns. Se a outra casa sempre tem uma negativa, ela pode sempre se defender. Seria ridículo supor que sua anuência às medidas a serem propostas não são conhecidas antecipadamente. Além disso ela obteve tanta influência através do tráfico de burgos com direito a representantes e tantas relações e conexões suas estão distribuídas em ambos os lados dos Comuns, que ela conseguiu, apesar de uma negativa absoluta em uma Casa, uma preponderância na outra em todas as questões de interesse comum.

É difícil descobrir o que se quer dizer com *interesses fundiários*, se isso não significa uma combinação dos proprietários de terra aristocráticos opondo seu interesse pecuniário ao do fazendeiro e a qualquer ramo de negócio, comércio e manufatura. Em tudo é o único interesse que não precisa de proteção parcial. Ele desfruta da proteção geral do mundo. Qualquer indivíduo, superior ou inferior, está interessado nos frutos da terra. Homens, mulheres e crianças de todas as idades e graus se unirão para ajudar o fazendeiro para que a colheita não se perca, mas não farão isso por nenhuma outra propriedade. É a única coisa pela qual a prece comum da humanidade é oferecida e a única coisa que nunca pode falhar devido à falta de recursos. É do interesse, não da política, mas da existência do homem e, quando ela acaba, ele deixa de ser.

Nenhum outro interesse na nação conta com o mesmo apoio unido. Comércio, manufaturas, artes, ciências e tudo o mais, comparados com esse, são apoiados apenas em partes. Sua prosperidade ou seu declínio não têm a mesma influência universal. Quando os vales riem e cantam, não é apenas o fazendeiro mas toda a criação que se regozija. É uma prosperidade que exclui toda inveja, e isso não pode ser dito de nenhuma outra coisa.

Por que, então, o Sr. Burke fala da Câmara dos Lordes como o pilar dos interesses fundiários? Se este pilar afundasse no chão, a mesma propriedade rural continuaria, o mesmo arar, semear e colher continuariam. A aristocracia não são os fazendeiros que amainam a terra e a fazem produzir mas são apenas consumidores da renda. Quando comparados com o mundo ativo, eles são os zangões, um serralho de machos, que nem colhem o mel nem fazem a colmeia, mas existem apenas para empregos indolentes.

O Sr. Burke, em seu primeiro ensaio, chamou a aristocracia de "a *capital coríntia da sociedade polida*". A fim de completar a figura ele agora acrescentou o *pilar.* Mas até a base está faltando e, quando uma nação decidir agir como Sansão, não cego mas arrojado, cairão o templo da Dagon, os lordes e os filisteus.

Se uma casa legislativa deve ser composta de homens de uma classe com a finalidade de proteger um interesse separado, todos os outros interesses têm o mesmo direito. A desigualdade, bem como o ônus da criação de impostos, surge do fato de admitir isso num caso mas não em todos. Se houvesse uma câmara de fazendeiros, não haveria leis de caça; se houvesse uma câmara de comerciantes ou de manufatureiros, os impostos não seriam tão desiguais nem tão excessivos. É porque o poder de criar impostos está nas mãos daqueles que podem tirar parte tão grande deles de seus ombros que aumentaram sem controle.

Os homens de posse pequena ou moderada são mais prejudicados pelos impostos lançados sobre artigos de consumo do que aliviados por serem desviados da propriedade territorial pelas seguintes razões:

Primeira, eles consomem mais artigos produtivos taxáveis, em proporção com sua propriedade, do que aqueles com grandes bens.

Segunda, a residência deles é sobretudo nas cidades e a propriedade deles são casas, e o aumento das taxas dos pobres, ocasionadas pelo imposto sobre o consumo, é em proporção muito maior do que o imposto territorial que tem sido favorecido. Em Birmingham as taxas dos pobres não são menos do que sete xelins para uma libra. Disto, como já foi observado, a aristocracia está em grande parte isenta.

Isto é apenas uma parte dos danos decorrentes da miserável intriga da Câmara dos Lordes.

Como combinação, ela pode tirar de si uma porção considerável de impostos, e, como casa hereditária, não dando satisfação a ninguém, ela se parece com um burgo podre, cujo consenso é ser cortejado pelo interesse. Há apenas uns poucos membros seus que, de um ou outro modo, não participam nem dispõem do dinheiro público. Um se torna porta-velas, ou lorde a serviço do rei; outro um lorde do quarto de dormir, ou servente da estola, ou qualquer insignificante ofício nominal ao qual é atribuído um salário, pago dos impostos públicos, e que evita a aparência direta de corrupção. Tais situações são aviltantes do caráter do homem: onde alguém se submete a elas, não pode haver honra.

A tudo isto deveriam ser acrescentados os numerosos dependentes, a longa lista dos ramos mais novos e de parentesco distante, que devem ser mantidos com os gastos públicos. Em resumo, se fosse para fazer uma estimativa do custo da aristocracia para uma nação, seria aproximadamente igual ao de sustentar os pobres. O Duque de Richmond sozinho (e há casos semelhantes ao dele) recebe tanto para si mesmo quanto manteria dois mil pobres e idosos. Há então por que se admirar que, num tal sistema de governo, impostos e taxas tenham se multiplicado tanto quanto se apresentam?

Ao propor estas questões eu falo uma linguagem aberta e descomprometida, ditada por nenhuma paixão a não ser a da humanidade. Para mim, que não apenas recusei ofertas porque eu as julgava inconvenientes – pois renunciei a recompensas que poderia ter aceito com reputação – não é de admirar que mesquinhez e imposição pareçam repugnantes.

Independência é minha felicidade e vejo as

coisas como elas são, sem consideração a lugar ou pessoa. Meu país é o mundo e minha religião é fazer o bem.

O Sr. Burke, ao falar da lei aristocrática da primogenitura, diz: "É a lei permanente de nossa herança de bens de raiz, a qual, inquestionavelmente, tem uma tendência, e julgo", continua ele, "uma tendência feliz, a preservar um caráter de peso e importância".

O Sr. Burke pode chamar esta lei como lhe agradar, mas a humanidade e a reflexão imparcial a denunciarão como uma lei de brutal injustiça. Não estivesse ele acostumado à prática diária, e se tivéssemos ouvido falar desta lei apenas como de uma parte distante do mundo, concluiríamos que os legisladores de tais países não tinham atingido o estado de civilização.

Quanto ao fato de ela preservar um caráter de peso e *importância*, o caso me parece exatamente o contrário. É um atentado contra o bom nome, uma espécie de pirataria da propriedade familiar. Pode ter peso entre os arrendatários dependentes, mas não dá boa reputação em escala nacional e muito menos universal. Falando de mim mesmo, meus pais não eram capazes de me dar um xelim além do que me deram em educação, e para isso eles se afligiram. Contudo eu tenho mais daquilo que costumam chamar importância no mundo do que qualquer aristocrata da lista do Sr. Burke.

Tendo assim olhado de relance alguns dos defeitos das duas Casas do Parlamento, passo ao que chamam Coroa, e sobre este assunto serei muito conciso.

Coroa significa um ofício nominal de um milhão de libras esterlinas por ano, cujo negócio consiste em receber o dinheiro. Se a pessoa é sábia ou tola, sã ou louca, nativa ou estrangeira, não importa.
Cada ministério atua a partir da mesma ideia,

segundo o Sr. Burke, a saber, que o povo deve estar de olhos vendados e mantido em ignorância supersticiosa inspirado por algum fantasma ou outro, e o que se chama Coroa responde a esta finalidade, correspondendo portanto a todas as finalidades que se esperam dela. Isso é mais do que pode ser dito dos outros dois ramos.

O perigo ao qual este ofício está exposto em todos os países não provém de nada que possa acontecer ao homem mas do que pode acontecer à nação: o perigo de poder percebê-lo.

Tem sido costume chamar a Coroa de poder executivo, e o costume continuou apesar de o motivo ter desaparecido.

Ela foi chamada de *executivo* porque a pessoa que ela significava costumava antigamente fazer o papel de juiz, administrando ou executando as leis. Os tribunais eram então parte da Corte. Portanto, o poder que agora é chamado judiciário era então chamado de executivo. Consequentemente um dos dois termos é redundante e um dos ofícios inúteis. Falar da Coroa agora não significa nada; não significa nem juiz nem general; além disso, são as leis que governam, não o homem. Os velhos termos são conservados para dar aparência de importância a formas vazias e o único efeito que têm é o de aumentar as despesas.

... A fraude, a hipocrisia e a impostura dos governos agora estão começando a ser bem entendidas para lhes prometer longa carreira. A farsa da monarquia e da aristocracia em todos os países segue a da cavalaria e o Sr. Burke está vestido para o funeral. Que ela vá tranquilamente para o túmulo de todas as outras loucuras e seus pranteadores sejam confortados.

Não está muito distante o tempo em que a Inglaterra rirá de si mesma por ter ido à Holanda, a Hanover, Zell ou Brunswick em busca de homens, ao custo de um milhão por ano, os quais não compreendiam suas leis, sua linguagem, nem seu interesse, e cujas capacidades dificilmente os tornavam aptos para o ofício de condestável paroquial. Se o governo pode ser confiado a tais mãos, ele deve ser de fato algo muito simples e pode-se encontrar materiais aptos para todas as finalidades em cada cidade e aldeia na Inglaterra.

Quando se puder dizer em qualquer país do mundo: meus pobres estão felizes, entre eles não há ignorância nem angústia, minhas prisões estão sem prisioneiros e minhas ruas sem mendigos, os idosos não passam necessidades, os impostos não são escorchantes, o mundo racional é meu amigo porque eu sou amigo de sua felicidade; quando estas coisas puderem ser ditas, então este país pode se gabar de sua constituição e de seu governo.

No espaço de uns poucos anos vimos duas revoluções: as da América e da França. Na primeira a luta foi longa e o conflito violento; na última a nação agiu num impulso tão solidário que, não tendo inimigos externos com quem lutar, a revolução se tornou totalmente poderosa no momento em que apareceu. Pelos dois exemplos é evidente que as maiores forças que podem ser introduzidas no campo das revoluções são a razão e o interesse comum. Onde eles têm a oportunidade de atuar, a oposição morre de medo ou desaparece pela convicção. É uma grande reputação que elas agora conquistaram universalmente. Daqui para a frente podemos esperar ver revoluções, ou mudanças em governos, produzidas com a mesma operação tranquila, pela qual qualquer medida, determinável pela razão e discussão, é realizada.

Quando uma nação muda sua opinião e seus hábitos de pensar, não é para continuar a ser governada como antes, e não apenas seria errado, mas uma política má, tentar pela força o que deveria ser realizado pela razão. A rebelião consiste numa oposição pela força à vontade geral de uma nação, seja por um partido ou por um governo. Deveria, portanto, haver em toda nação um método de ocasionalmente averiguar a situação da opinião pública a respeito do governo. A respeito disso o antigo governo da França era superior ao atual governo da Inglaterra porque, em ocasiões extraordinárias, podia-se recorrer ao que se chamava de Estados Gerais. Na Inglaterra, porém, não há organismos ocasionais deste tipo. Quanto aos que agora são chamados de representantes, uma grande parte deles são meras máquinas da Corte, funcionários e dependentes.

Suponho que, embora todo o povo da Inglaterra pague impostos, nem a centésima parte dele é de eleitores, e os membros de uma das Casas do Parlamento a ninguém representam senão a eles mesmos. Não há, portanto, nenhum poder além da vontade do povo que tem o direito de agir em qualquer assunto relacionado com uma reforma geral. Pelo mesmo direito que duas pessoas podem deliberar sobre tal assunto, podem mil. O objetivo em todos os procedimentos preliminares é descobrir qual é o sentimento geral da nação e ser governado por ele. Se ela preferir um governo mau e defeituoso a uma reforma, ou se decidir pagar dez vezes mais impostos do que necessário, ela tem direito de fazer isso. Enquanto a maioria não impuser à minoria condições diferentes das que impõe a si mesma, embora possa haver muito erro, não há injustiça. O erro também não continuará. A razão e a discussão logo consertarão as coisas, por mais erradas que elas tenham começado. Através de tal processo não se deve recear nenhum tumulto. Os pobres em todos os países são naturalmente calmos e agradecidos em todas as reformas em que estão incluídos seu interesse e felicidade. E apenas pelo fato de os negligenciar e rejeitar que eles se tumultuam.

Os objetivos que agora pesam sobre a atenção pública são a revolução francesa e a perspectiva de uma revolução geral nos governos. Entre todas as nações na Europa, não há nenhuma tão interessada na revolução francesa como a Inglaterra. Inimigos durante séculos, e isto a grandes custos, e sem objetivo racional nenhum, agora se apresenta a oportunidade de um fim de cena amigável e de unir seus esforços para reformar o resto da Europa. Fazendo isso, elas não apenas evitam mais derramamento de sangue e aumento de impostos, mas ficam em condição de se livrarem de considerável parte de seus atuais ônus, como já foi dito. Uma longa experiência, porém, mostrou que reformas desta espécie não são as que os governos desejam promover. Por isso é às nações e não aos governos que se apresentam estas questões.

Na parte precedente desta obra falei de uma aliança entre Inglaterra, França e América para fins que seriam depois mencionados. Embora eu não tenha autoridade direta por parte da América, tenho bons motivos para concluir que ela está disposta a considerar tal medida, contanto que os governos com os quais ela se aliar ajam como governos nacionais e não como Cortes envolvidas em intrigas e mistério. Que a França como nação e como governo nacional preferiria uma aliança com a Inglaterra é uma questão certa. As nações, como os indivíduos, que por muito tempo foram inimigos sem se conhecerem mutuamente, ou sem saberem por quê, se tornam os melhores amigos quando descobrem os erros e as imposturas sob as quais agiram.

Admitindo, portanto, a probabilidade de uma tal ligação, apresentarei algumas questões por que uma tal aliança, junto com a da Holanda, poderá prestar um serviço, não apenas às partes imediatamente interessadas, mas a toda a Europa.

É certo, acho eu, que se as frotas da Inglaterra, França e Holanda se confederarem, poderiam propor, com efeito, uma limitação e um desmonte de todas as marinhas da Europa, em proporção a ser combinada.

Em segundo lugar, que todas as marinhas atualmente existentes reduzam cerca de um décimo de sua atual força. Isto economizaria para a França e a Inglaterra ao menos dois milhões de libras esterlinas anualmente para cada uma, e sua força relativa seria a mesma de agora. Se os homens se permitirem pensar, como seres racionais deveriam pensar, nada pareceria mais ridículo e absurdo, fora de qualquer reflexão moral, do que arcar com a despesa de construir navios de guerra, enchê-los de homens, e então arrastá-los para dentro do mar, para ver quem afunda o outro mais rapidamente. A paz, que não custa nada, é ocasionada com vantagens infinitamente maiores do que qualquer vitória com todo o seu custo. Mas isto, embora corresponda melhor ao propósito das nações, não corresponde ao dos governos de corte cuja política habitual é pretexto para a criação de impostos, cargos e ofícios.

Acho que também é certo que os poderes acima confederados, juntamente com o dos Estados Unidos da América, podem propor com eficácia à Espanha a independência da América do Sul e a abertura daqueles países de extensão e riquezas imensas ao comércio geral do mundo, como a América do Norte está agora.

Quanto maior glória e vantagem para si mesma suscita uma nação quando exerce seus poderes para salvar o mundo da escravidão e criar amigos para si do que quando usa estes poderes para aumentar ruína, desolação e miséria. O cenário horrível que o governo inglês está agora produzindo nas Índias Orientais só cabe ao que se diz dos godos e vândalos que, destituídos de princípios, roubavam e torturavam o mundo que eles eram incapazes de desfrutar.

A abertura da América do Sul produziria um campo imenso de comércio e um mercado monetário imediato para manufaturas, o que não acontece com o Oriente. O leste já é um território cheio de manufaturas, cuja importação não é apenas um prejuízo para a Inglaterra mas também um escoadouro de seu dinheiro. O saldo contra a Inglaterra através deste comércio é normalmente mais de meio milhão anualmente, que é enviado em dinheiro para as Índias Orientais, e esta é a razão, junto com a intriga alemã e os subsídios alemães, por que há tão pouca prata na Inglaterra.

Qualquer guerra é uma colheita para um tal governo, por mais ruinosa que possa ser para uma nação. Ela serve para manter esperanças enganadoras, que impedem o povo de ver os defeitos e os abusos do governo. Ela desvia a atenção do povo, divertindo e logrando as multidões.

Nunca se apresentou uma oportunidade tão grande para a Inglaterra, e para toda a Europa, como a produzida pelas duas revoluções da América e da França. Com a primeira, a liberdade tem um campeão nacional no mundo ocidental; e com a última, na Europa. Quando outra nação se unir à França, o despotismo e o mau governo dificilmente se atreverão a aparecer. Para usar uma expressão banal, o ferro está ficando quente em toda a Europa. O alemão insultado e o espanhol escravizado, o russo e o polonês começam a pensar. A idade atual merecerá daqui para a frente ser chamada Idade da Razão, e a atual geração parecerá ao futuro o Adão de um novo mundo.

Quando todos os governos da Europa estiverem estabelecidos sobre o sistema representativo, as nações se tornarão amigas e as animosidades e os preconceitos fomentados pela intriga e o artifício das cortes terminarão. O soldado oprimido se tornará um homem livre e o marinheiro torturado não será mais arrastado pelas ruas como um criminoso, podendo prosseguir sua viagem mercantil em segurança. Seria melhor que as nações pagassem seus soldados durante a vida deles e lhes dessem baixa e os devolvessem à liberdade e aos amigos deles e cessassem de recrutar em vez de reter tais multidões pelo mesmo custo numa condição inútil à sociedade e a eles próprios. Do modo como os soldados têm sido tratados até agora na maioria dos países, pode-se dizer que eles não têm amigos. Evitados pelos cidadãos por medo de serem inimigos da liberdade, e geralmente insultados pelos que os comandavam, sua condição era de dupla opressão. Mas onde os princípios gerais de liberdade se difundem entre um povo, tudo volta à ordem, e o soldado, civilmente tratado, volta à civilidade.

Ao contemplar as revoluções é fácil perceber que elas podem surgir de duas causas distintas: uma é evitar ou se livrar de alguma grande calamidade, a outra é obter um bem grande e positivo; as duas podem ser distinguidas pelos nomes de revolução ativa e passiva. As que procedem da primeira causa se tornam irascíveis e mal-humoradas, e a reparação, obtida com perigo, é frequentemente manchada pela vingança. Mas nas provenientes da segunda causa, o coração, mais animado do que agitado, entra serenamente no assunto. Razão e discussão, persuasão e convicção se tornam as armas na luta, e só quando se tenta suprimi-las é que se recorre à violência. Quando os homens são unânimes em julgar que uma *coisa é boa*, que pode ser conseguida, como o alívio do ônus dos impostos e a extinção da corrupção, o objetivo foi plenamente atingido. Aquilo que aprovam como fim, hão de promover usando os meios.

Alguém dirá, no atual excesso de taxação que tanto pesa sobre os pobres, que uma redução de cinco libras anualmente de impostos para mil e quatrocentas famílias pobres não é uma *coisa boa?* Alguém dirá que uma redução de sete libras anuais de cem mil outras famílias pobres, de oito libras de outras cem mil famílias pobres e de dez libras anuais de cinquenta mil famílias pobres e viúvas não são *coisas boas?* Para dar mais um passo neste clímax, alguém dirá que tomar providências contra as desgraças a que toda a vida humana está sujeita, assegurando seis libras anuais para todos os pobres, miseráveis e pessoas com idade de cinquenta e até sessenta anos, e de dez libras anuais depois dos sessenta, não é uma *coisa boa?*

Alguém dirá que abolir dois milhões de impostos dos pobres para as donas de casa e todos os impostos sobre casa e luz na janela, e de transporte, não é uma *coisa boa?* Ou alguém dirá que abolir a corrupção é uma *coisa má?*

Se, portanto, o bem a ser obtido merece uma revolução passiva, racional e sem custo, seria má política preferir esperar por uma calamidade que forçaria uma revolução violenta. Não tenho nenhuma ideia, considerando as reformas que agora estão ocorrendo e se espalhando por toda a Europa, se a Inglaterra se permitirá ser a última; e onde a ocasião e a oportunidade se apresentarem pacificamente, é melhor do que esperar por uma necessidade turbulenta. Pode ser considerado uma honra para as faculdades animais do homem obter reparação pela coragem e pelo perigo, mas é uma honra muito maior para as faculdades racionais atingir o mesmo objetivo pela razão, acomodação e consenso geral.

À medida que as reformas – ou revoluções, como quer que sejam chamadas – se estenderem entre as nações, estas nações farão ligações e convenções, e quando algumas estiverem assim confederadas, o progresso será rápido, até que o despotismo e o governo corrupto sejam totalmente expulsos, ao menos de dois quartos do mundo: Europa e América. Então se pode mandar cessar a pirataria argelina, pois é apenas devido à política maldosa dos antigos governos, um contra o outro, que ela existe.

Através deste trabalho são vários e numerosos os assuntos que recolhi e investiguei e há apenas um parágrafo sobre a religião, a saber, *que toda religião é boa se ensinar o homem a ser bom.*

Evitei cuidadosamente alongar-me sobre este assunto porque estou inclinado a crer que aquilo que chamam atual ministério deseja ver mantidas as disputas religiosas para evitar que a nação volte sua atenção para assuntos governamentais. É como se dissessem: *olhe naquela direção, ou em qualquer direção, menos nesta.*

Como a religião foi muito impropriamente transformada em máquina de guerra, sendo assim destruída sua realidade, concluirei esta obra expondo minha opinião sobre a religião.

Se imaginarmos uma grande família cujos filhos, em algum dia particular ou numa circunstância particular, têm o costume de dar aos pais uma prova de sua afeição e gratidão, cada um dará um presente diferente e provavelmente da maneira mais diversa. Alguns darão os parabéns em verso ou prosa; alguns com pequenos expedientes, ditados pelo temperamento ou segundo o que sabem que agradaria; e, talvez o último de todos, não sendo capaz de nada disso, caminhará até o jardim, ou o campo, e colherá a flor que ele achar mais bonita, embora possa não passar de uma simples erva daninha. Os pais ficariam mais gratificados com esta variedade do que se todos tivessem elaborado um plano e cada um feito a mesma oferenda. Isto teria a aparência de artifício ou a aparência áspera de controle. Mas de todas as coisas indesejáveis nenhuma entristeceria mais os pais do que saber que todos eles depois se puxaram as orelhas, meninos e meninas brigando, se arranhando, xingando e insultando uns aos outros a respeito de qual era o melhor ou o pior presente.

Por que não supor que o grande Pai de todos se compraz com devoção variada? E que a maior ofensa que podemos praticar é que através disso procuremos mutuamente nos molestar e tornar miseráveis? De minha parte estou plenamente satisfeito de que o que estou fazendo agora, empenhando-me em conciliar a humanidade, tornar sua condição feliz, unir as nações que até agora eram inimigas, extirpar a horrível prática da guerra e quebrar as cadeias da escravidão e da opressão, é aceitável aos olhos dele; sendo o melhor serviço que eu posso realizar, faço-o alegremente.

Não creio que quaisquer dois homens, a respeito dos chamados pontos doutrinais, pensarão de modo igual, se pensarem. É apenas aqueles que não pensaram que parecem concordar. Neste caso acontece o mesmo que com a chamada constituição britânica. Ela foi tida como boa e os encômios tomaram o lugar da prova. Quando uma nação passa a examinar seus princípios e os abusos que ela admite, ver-se-á que há mais defeitos do que eu apontei nesta obra e na primeira.

Quanto às chamadas religiões nacionais, poderíamos falar com mais propriedade de deuses nacionais. É artimanha política ou reminiscência do sistema pagão cada nação ter sua divindade separada e particular. Entre todos os escritores do clero da Igreja Inglesa, que trataram sobre o assunto geral da religião, o atual bispo de Llandaff não foi superado. É com muito prazer que aproveito a oportunidade de expressar este sinal de respeito.

Examinei o assunto todo, ao menos pelo que me parece atualmente. Foi minha intenção durante os cinco anos que estive na Europa me dirigir ao povo da Inglaterra a respeito da questão do governo, se houvesse oportunidade antes de eu voltar à América. O Sr. Burke a colocou em meu caminho e eu lhe agradeço. Em certa ocasião, três anos atrás, eu o pressionei a propor uma convenção nacional, devidamente eleita, a fim de considerar a situação nacional; mas achei que, por mais forte que fosse a tendência parlamentar que então se opunha ao partido em que ele atuava, a política deles era conservar tudo dentro do âmbito da corrupção e confiar em acidentes. Longa experiência mostrou que os Parlamentos seguiriam a qualquer mudança de ministros e nisso se baseavam as esperanças e expectativas deles.

Antigamente, quando surgiam divisões a respeito de governos, recorria-se à espada e seguia-se uma guerra civil. Este costume selvagem foi substituído por um sistema novo: pelas convenções nacionais. Discussão e vontade geral decidem a questão e a opinião particular se rende de boa vontade e a ordem é preservada sem interrupção.

Alguns cavalheiros preferiram chamar os princípios sobre os quais esta obra e a parte anterior dos *Direitos do homem* estão fundados de "doutrina de novidades". A questão não é se estes princípios são novos ou velhos, mas se são certos ou errados. No caso da primeira, mostrarei seu efeito com uma figura facilmente compreendida.

Estamos quase em meados de fevereiro. Se eu fosse dar um passeio pelo campo, as árvores teriam a aparência de outono sem folhas. Como as pessoas costumam apanhar galhos enquanto andam, eu talvez fizesse o mesmo e por acaso observasse que um *único botão* naquele galho começara a brotar. Eu raciocinaria sem naturalidade, ou simplesmente não raciocinaria caso supusesse que *este* era o *único* broto na Inglaterra que tinha esta aparência. Em vez de me decidir assim, concluiria instantaneamente que a mesma coisa estava começando, ou a ponto de começar, em toda parte, e que, embora as folhas continuassem por mais tempo em algumas árvores e plantas do que em outras, e embora algumas não *florescessem* por dois ou três anos, todas estariam com folhas no verão, exceto as que estão *podres*. Qual a semelhança entre o verão político e o natural, nenhuma previsão humana pode determinar. Não é difícil perceber, porém, que a primavera começou. Assim desejando, como sinceramente o faço, liberdade e felicidade a todas as nações, encerro a *segunda parte*.

Vozes de Bolso

- *Assim falava Zaratustra* – Friedrich Nietzsche
- *O príncipe* – Nicolau Maquiavel
- *Confissões* – Santo Agostinho
- *Brasil: nunca mais* – Mitra Arquidiocesana de São Paulo
- *A arte da guerra* – Sun Tzu
- *O conceito de angústia* – Søren Aabye Kierkegaard
- *Manifesto do Partido Comunista* – Friedrich Engels e Karl Marx
- *Imitação de Cristo* – Tomás de Kempis
- *O homem à procura de si mesmo* – Rollo May
- *O existencialismo é um humanismo* – Jean-Paul Sartre
- *Além do bem e do mal* – Friedrich Nietzsche
- *O abolicionismo* – Joaquim Nabuco
- *Filoteia* – São Francisco de Sales
- *Jesus Cristo Libertador* – Leonardo Boff
- *A Cidade de Deus* – Parte I – Santo Agostinho
- *A Cidade de Deus* – Parte II – Santo Agostinho
- *O conceito de ironia constantemente referido a Sócrates* – Søren Aabye Kierkegaard
- *Tratado sobre a clemência* – Sêneca
- *O ente e a essência* – Tomás de Aquino
- *Sobre a potencialidade da alma* – De quantitate animae – Santo Agostinho
- *Sobre a vida feliz* – Santo Agostinho
- *Contra os acadêmicos* – Santo Agostinho
- *A Cidade do Sol* – Tommaso Campanella
- *Crepúsculo dos ídolos ou Como se filosofa com o martelo* – Friedrich Nietzsche
- *A essência da filosofia* – Wilhelm Dilthey
- *Elogio da loucura* – Erasmo de Roterdã
- *Linguagem corporal em 30 minutos* – Monika Matschnig
- *Utopia* – Thomas Morus
- *Do contrato social* – Jean-Jacques Rousseau
- *Discurso sobre a economia política* – Jean-Jacques Rousseau
- *Vontade de potência* – Friedrich Nietzsche
- *A genealogia da moral* – Friedrich Nietzsche
- *O banquete* – Platão
- *Os pensadores originários* – Anaximandro, Parmênides, Heráclito
- *A arte de ter razão* – Arthur Schopenhauer
- *Discurso sobre o método* – René Descartes
- *Que é isto – A filosofia?* – Martin Heidegger
- *Identidade e diferença* – Martin Heidegger
- *Sobre a mentira* – Santo Agostinho
- *Da arte da guerra* – Nicolau Maquiavel

- *Os direitos do homem* – Thomas Paine
- *Sobre a liberdade* – John Stuart Mill
- *Defensor Menor* – Marsílio de Pádua
- *Tratado sobre o regime e o governo da cidade de Florença* – J. Savonarola
- *Primeiros princípios metafísicos da Doutrina do Direito* – Immanuel Kant
- *Carta sobre a tolerância* – John Locke
- *A desobediência civil* – Henrry David Thoureau
- *A ideologia alemã* – Karl Marx e Friedrich Engels